rougir 1

# Histoires à faire rougir

Nouvelle génération

Publiés par la même auteure :

*Histoires à faire rougir* (t.1)
Édition originale : format régulier 1994, format poche 2000
*Stories to Make You Blush* 2000
Nouvelle Édition (Rougir 1 : *Histoires à faire rougir*) 2011

*Nouvelles histoires à faire rougir* (t. 2)
Édition originale : format régulier 1996, format poche 2001
*More Stories to Make You Blush* 2001

*Histoires à faire rougir davantage* (t. 3)
Édition originale : format régulier 1998, format poche 2002
*Stories to Make You Blush volume 3* 2004

*Rougir de plus belle* (t. 4)
Édition originale : format régulier 2001, format poche 2004

*Rougir un peu, beaucoup, passionnément* (t. 5)
Édition originale : format régulier 2003, format poche 2006

*Coups de cœur à faire rougir* 2006
(le meilleur des *Histoires à faire rougir*)

Aussi publiés dans la collection *Oseras-tu ?*
Pour les jeunes de 14 ans et plus :

*La Première Fois de Sarah-Jeanne* 2009
*Le cœur perdu d'Élysabeth* 2009
*Le roman de Cassandra* 2010
*Le vertige de Gabrielle* 2010

MARIE GRAY

rougir 1

# Histoires à faire rougir

Nouvelle génération

Guy Saint-Jean
ÉDITEUR

Catalogage avant publication de Bibliothèque et Archives nationales
du Québec et Bibliothèque et Archives Canada

Gray, Marie, 1963-
Rougir
Sommaire: 1. Histoires à faire rougir.
ISBN 978-2-89455-411-1 (v. 1)
I. Titre. II. Titre: Histoires à faire rougir.
PS8563.R414R67 2011 C843'.54 C2011-940733-7
PS9563.R414R67 2011

Nous reconnaissons l'aide financière du gouvernement du Canada par l'entremise du Fonds du livre du Canada (FLC) pour nos activités d'édition ainsi que celle de la SODEC pour nos activités d'édition. Nous remercions le Conseil des Arts du Canada de l'aide accordée à notre programme de publication.

Canada

Conseil des Arts du Canada
Canada Council for the Arts

SODEC Québec

Gouvernement du Québec — Programme de crédit d'impôt pour l'édition de livres — Gestion SODEC


Conception graphique: Christiane Séguin
Révision: Sophie Ginoux
Illustration de la page couverture: Ping Lee / Getty Images

Dépôt légal — Bibliothèque et Archives nationales du Québec, Bibliothèque et Archives Canada, 2011
ISBN: 978-2-89455-411-1
ISBN ePub: 978-2-89455-412-8
ISBN PDF: 978-2-89455-436-4

**Distribution et diffusion**
Amérique: Prologue
France: De Borée/Distribution du Nouveau Monde (pour la littérature)
Belgique: La Caravelle S.A.
Suisse: Transat S.A.



**Guy Saint-Jean Éditeur inc.**
3440, boul. Industriel, Laval (Québec) Canada, H7L 4R9. 450 663-1777
Courriel: info@saint-jeanediteur.com • Web: www.saint-jeanediteur.com

**Guy Saint-Jean Éditeur France**
30-32, rue de Lappe, 75011, Paris, France. (1) 43.38.46.42 • Courriel: gsj.editeur@free.fr

Imprimé et relié au Canada

*Chères lectrices, chers lecteurs,*

*Qui aurait cru, en 1995, que mes petites* Histoires à faire rougir, *écrites sur un coup de tête et publiées sans la moindre attente, seraient un jour qualifiées de «classiques»? Certainement pas moi! Mais je me réjouis évidemment de l'aventure et remercie bien chaleureusement tous ceux et celles qui y ont contribué de près ou de loin.*

*Ce n'est que lorsque j'ai compris, il y a quelques années, que les nouveaux lecteurs de la série avaient bien souvent découvert ces ouvrages dans la bibliothèque de leurs parents, que j'ai réalisé que le temps avait passé et que les* Histoires *étaient toujours d'actualité. Les couples d'aujourd'hui cherchent autant que ceux d'hier à maintenir la flamme bien vivante! Quoique... Avec du recul, j'ai bien dû constater que mes coquineries avaient besoin d'un petit coup de fraîcheur et que, forcément, certaines choses avaient changé avec l'arrivée d'un siècle nouveau!*

*C'est pourquoi je me suis amusée à reprendre certains passages, à en fignoler d'autres, à peaufiner quelques dialogues et à actualiser plusieurs scènes. Voici donc les* Histoires à faire rougir, *qui ont gagné le cœur de mes chers lecteurs — et leur corps, à en croire certains commentaires! —, en version vingt-et-unième siècle. J'espère que ceux et celles qui les découvrent ici y trouveront tout autant leur compte que les générations passées.*

*Bonne lecture et, surtout, bonnes rougeurs!*

*Marie*

*xxx*

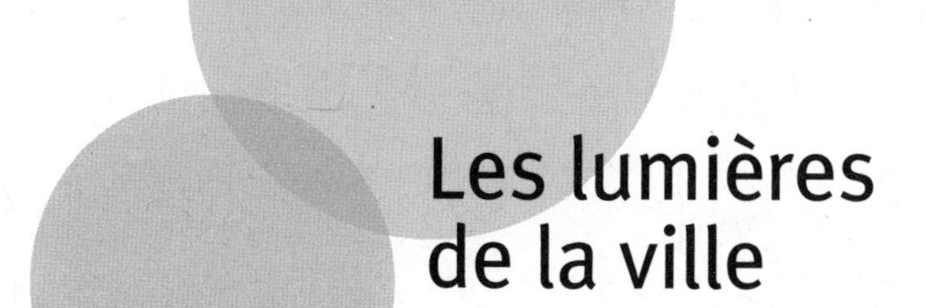

# Les lumières de la ville

— Ça y est, la dernière boîte !

— Il était temps !

Steve a essuyé distraitement une goutte de sueur qui coulait le long de sa joue.

— Tu crois vraiment qu'on va rester ici plus d'un an ?

— On verra bien... Pour le moment, dépêche-toi, on a encore beaucoup à faire !

Un autre déménagement. Le troisième en autant d'années. Steve et moi ne semblions jamais, du moins depuis plusieurs années, trouver l'endroit idéal où habiter. Cette fois-ci, cependant, j'avais un bon pressentiment. J'avais passé trois mois à ratisser systématiquement la ville pour trouver la perle rare et j'avais vraiment l'impression de l'avoir dénichée.

Nous aurions bien aimé avoir enfin notre propre maison, mais comme Steve devait être muté dans une autre ville, nous avions remis encore une fois ce rêve à plus tard. Après des semaines de déceptions, de fausses joies et de journées de visite interminables, j'étais prête à tout laisser tomber. Pourtant, un matin qui ne présageait rien de particulier, j'étais enfin tombée sur une petite annonce décrivant une « magnifique copropriété, le calme de la campagne près du centre-ville. Aubaine ». Ayant lu des tonnes d'annonces du même genre, j'avais failli ne pas m'en occuper. À la dernière minute, toutefois, et sans vraiment en être consciente, j'avais décroché le téléphone, composé le numéro et pris un rendez-vous. En arrivant devant l'immeuble, j'avais été séduite ;

en pénétrant dans l'appartement, conquise. C'était exactement ce que nous cherchions.

Premièrement, le logement disponible se trouvait au dernier étage, au vingtième. Donc, personne pour nous marcher sur la tête à toute heure du jour ou de la nuit. Deuxièmement, le bâtiment était construit en croix avec seulement un logement par aile et l'ascenseur au centre. Résultat: pas de voisins immédiats pour nous faire partager leurs batailles ou leurs émissions de télé favorites. Le bonheur! Et la liste des avantages ne cessait de s'allonger. Un joli parc entourait l'édifice, permettant de prendre l'air en toute sécurité. Il y avait un gardien en permanence à l'entrée et, chance suprême, le logement était abordable compte tenu du quartier et de sa superficie. Nous avons bien sûr sauté sur l'occasion, ou plutôt J'AI sauté sur l'occasion sans prendre le temps de consulter Steve, tant j'étais certaine qu'il serait aussi emballé que moi. Effectivement, il a été enchanté par cet endroit.

Le jour du déménagement, malgré la fatigue et les multiples petits embêtements, nous étions heureux. Ce que nous avions vu du quartier nous plaisait et nous avions déjà rencontré l'une de nos voisines de palier, Diane, qui nous avait paru charmante. Peut-être un peu trop charmante, d'ailleurs, à en juger par le regard appréciateur de Steve sur ses divers attributs, mais j'avais décidé de passer outre.

Nous avions ensuite travaillé fort pendant quatre jours avant de pouvoir nous dire «installés». Steve et moi avions pris quelques jours de vacances dans ce but et, vraiment, c'était du beau travail. Les fenêtres du logement avaient représenté le plus gros problème. Elles étaient immenses dans le salon et la chambre à coucher, et nos anciens rideaux ne leur convenaient pas. Cependant, une fois cet obstacle surmonté, l'appartement avait une allure des plus satisfaisantes. Et ces fenêtres, si grandes étaient-elles, nous procuraient une vue tellement spectaculaire qu'elles valaient bien un peu de tracas.

Le quatrième soir, après notre premier vrai repas en tête-à-tête dans notre nouveau chez-nous, nous avons enfin décidé de prendre l'air sur notre magnifique terrasse. Cette soirée de juillet était douce et chaude, et nous berçait d'une brise légère et caressante. Ce n'était pas encore la canicule, qui se manifesterait sûrement dans quelques semaines. Juste une belle, une parfaite soirée d'été.

Nous avions pris soin d'éteindre toutes les lumières pour savourer la vue superbe qui s'offrait à nous : la ville étendue à nos pieds semblait irréelle, vibrante, vivante. Nous pouvions enfin goûter béatement à la tranquillité de notre nouvelle demeure. La circulation était fluide, discrète et, de l'appartement voisin, nous parvenaient des accords de blues langoureux. Nous ne pouvions suivre la conversation de notre voisine, chez qui toutes les portes et fenêtres étaient ouvertes pour laisser entrer l'air de la nuit, mais entendions des intonations définitivement masculines provenir de chez elle.

— Dommage pour toi, ai-je dit pour taquiner Steve, elle semble avoir un petit ami…

Il m'a souri, puis a approché sa chaise de la mienne. Il a passé affectueusement son bras autour de mes épaules, laissant habilement sa main se balader dans mes cheveux. Quelques minutes plus tard, une douce lumière s'est allumée dans la chambre à coucher de notre voisine. C'est là que nous avons remarqué qu'elle avait résolu le problème des rideaux de façon très simple : elle n'en avait pas mis !

Sans vouloir nous montrer indiscrets, nous avons aussi noté que les deux murs de sa chambre qui nous étaient visibles étaient recouverts de miroirs. Il était difficile de ne pas le constater, la fenêtre faisant presque la largeur de la chambre.

Notre voisine Diane est entrée dans sa chambre d'un pas lent, en suivant le rythme de la musique, et a retiré sa blouse.

— Bon! voilà! Tu vas pouvoir te rincer l'œil! ai-je commenté. Mon Dieu, quels seins! La garce... Qu'est-ce que ce sera quand je ne serai pas là? Je saurai tout de suite où te trouver si tu ne m'accueilles pas à la porte dès mon arrivée!

Je croyais qu'elle ne faisait que changer de vêtements, soit pour se mettre plus à l'aise, soit en prévision d'une sortie... Mais elle a refait le chemin inverse, ne portant maintenant qu'une minuscule culotte, et est revenue dans sa chambre en tirant son petit ami par le bras. Elle l'a poussé d'un petit geste câlin et enjoué, et l'a fait s'asseoir sur ce qui semblait être une commode. Elle lui a alors retenu les poignets contre le miroir et s'est mise à lui couvrir le cou et les épaules de petits baisers furtifs, aguicheurs.

— Hum..., a fait Steve, ça devient intéressant.

Je me suis contentée d'avaler ma salive...

Diane embrassait maintenant plus fougueusement le cou, les épaules, les bras et le torse de l'homme, en glissant ses petites mains sur le corps de ce dernier, qui restait assis sans bouger. Tout à coup, elle l'a tiré par les poignets, s'est retournée et l'a fait se redresser devant elle. Puis, elle lui a fait signe de ne pas essayer de s'approcher d'elle. De la fenêtre où nous nous trouvions, nous pouvions le voir jusqu'à la taille, mais presque tout le reste nous était révélé par réflexion dans le miroir. Diane a grimpé sur une commode et s'est mise à danser souplement au rythme de la musique.

Elle avait vraiment des seins à me faire pâlir de jalousie... et à faire rougir mon Steve jusqu'aux oreilles. Il la regardait, un peu timide mais fasciné, ne sachant s'il préférait la regarder, elle, ou espionner son reflet dans l'un des miroirs.

— Ça coûte moins cher que dans un bar..., a-t-il fait remarquer, le souffle court et le regard fixe.

C'est à ce moment-là qu'il a fait pivoter sa chaise, de façon à pouvoir faire glisser une de ses mains le long de ma cuisse, en remontant plus vite qu'il ne l'aurait souhaité de prime abord jusqu'à ma culotte. Diane, elle, dansait toujours, léchant à l'occasion ses seins volumineux et agaçant son ami en jouant avec sa culotte minuscule, un sourire narquois accroché aux lèvres. Elle en remontait les côtés sur les hanches, libérait ensuite son sexe et passait les doigts furtivement entre ses cuisses. Son copain se massait lentement à travers son jean, obéissant et soumis, se contentant de la regarder.

Steve, de son côté, avait entrepris de me caresser avec insistance. J'étais déjà très excitée. J'éprouvais une certaine culpabilité à regarder l'autre couple ainsi, mais je n'y pouvais rien: le spectacle était irrésistible. Je laissais Steve me caresser sans intervenir, me souciant à peine de sa présence, savourant égoïstement les sensations qu'il me procurait. J'étais moite moite, chaude, et les doigts que Steve glissait en moi ont trouvé rapidement leur cible. Il flattait un point minuscule très précis à l'entrée de mon corps, ce qui déclenchait toujours le même résultat: un orgasme gênant de par sa promptitude et son intensité. L'ami de Diane s'est alors levé, a retiré son pantalon à la hâte, révélant un organe bien éveillé... puis, il a plongé leur chambre dans l'obscurité.

Nous avons, Steve et moi, poussé ensemble un soupir de déception, mais mon chéri a quand même eu la décence de continuer ce qu'il faisait jusqu'à ce que je jouisse, ce qui s'est produit presque immédiatement. J'ai alors remarqué l'érection impressionnante qui habitait son pantalon et dont je n'avais pas daigné m'occuper plus tôt... Une vraie barre de fer! Je ne pouvais tout de même pas le laisser dans cet état, le pauvre, et ainsi gaspiller une telle disposition. Je me suis donc mise à genoux devant lui et j'ai glissé presque entièrement ladite barre dans ma bouche. J'ai toujours adoré lui accorder ce petit plaisir. Je le fais par amour pour lui, et pour moi aussi… Sa queue dans ma bouche me procure un tel sentiment de puissance ! JE suis alors le vrai maître de la situation, en quelque sorte. J'ai ainsi commencé à aspirer cette verge dans ma bouche exigeante, glissant ma langue autour d'elle comme lors d'un baiser passionné. Je savais que Steve en était fanatique — quel homme ne le serait pas ? —, aussi ai-je fait durer le plaisir. J'ai accéléré le rythme de mes caresses humides en l'engouffrant plus profondément jusqu'à ce que je sente Steve prêt à abdiquer. J'ai alors ralenti graduellement ma cadence, m'amusant à lécher et à sucer cette queue offerte, avant de laisser ma main prendre doucement la relève. Puis, après quelques minutes, je l'ai happée de nouveau et ai recommencé le même petit jeu. Mes lèvres se resserraient autour de ce membre qui durcissait toujours, tantôt douces, tantôt fermes, mais toujours pressantes. Finalement, la quatrième fois, j'ai laissé mon amoureux jouir et m'asperger du fruit de mon travail…

Il n'y a rien comme le grand air ! Décidément, cet appartement promettait d'agréables soirées…

• • •

Quelques jours plus tard, j'ai croisé Diane dans l'ascenseur. Je me suis sentie rougir en sachant très bien que je n'y pouvais rien et qu'elle me croirait sans doute, à tort, exagérément timide. Elle désirait en fait savoir si nous étions bien installés et comment nous trouvions les alentours jusqu'à maintenant. Elle m'a dit qu'elle avait toujours habité sur des étages élevés et m'a demandé comment je trouvais la vue…

À ces mots, j'ai rougi encore plus intensément et ai été heureuse de constater que nous étions arrivées à destination. Elle m'a gratifiée d'un sourire chaleureux et est partie de son côté.

• • •

C'était notre dernière journée de vacances... Ah! Comme elles avaient passé vite! J'appréhendais la reprise de ma routine dès le lendemain matin. Pour profiter davantage de cette dernière soirée, Steve a proposé d'aller au petit restaurant vietnamien qui se trouvait tout près de chez nous. Ce penchant pour la cuisine asiatique avait été notre premier goût commun. Nous y allions aussi souvent que nous le pouvions, sans nous en lasser. Cette fois-là encore, le repas a été délicieux. Ce nouveau restaurant à l'ambiance discrète et chaleureuse nous enchantait vraiment. De fil en aiguille, la conversation s'est naturellement portée sur notre voisine; nous nous demandions en vérité si elle ne faisait pas tout ce manège précisément parce qu'elle se savait épiée.

— Mais non, a dit Steve, comment aurait-elle pu savoir que nous étions sur la terrasse?

— Je ne sais pas... Mais même de notre chambre, on aurait très bien pu la voir.

— Non, j'ai...

Steve a eu une brève hésitation.

— J'ai fait le test et c'est trop loin. L'angle non plus n'est pas bon...

— Ah! me suis-je exclamée, feignant d'être insultée par ses paroles. Il me semblait bien que tu t'arrangerais pour en tirer le maximum!

— Oh! Tu vas me dire que ça t'a choquée ou, au contraire, laissée indifférente?

— Je n'irais pas jusque-là...

Nous nous sommes regardés et, tous les deux aux prises avec les souvenirs agréables liés à cette soirée, nous avons tout de suite eu la même idée: rentrer au plus vite!

En arrivant chez nous, je me suis empressée d'ouvrir les

fenêtres et la grande porte de la terrasse. Je déteste l'air climatisé autant que Steve. La musique provenant de l'appartement voisin a immédiatement attiré mon attention. C'était du rock, cette fois-ci. J'ai pris soin de ne pas allumer les lumières et ai dit tout bas à Steve de venir au plus vite.

L'appartement de Diane était illuminé au moyen de plusieurs lampes de couleur. L'effet obtenu rappelait une scène de spectacle baignée de rouge, de bleu et d'ocre. Deux corps s'étreignaient dans ce décor étrange, celui de Diane et d'un homme différent de la fois précédente. Elle était à genoux sur le sofa, les coudes appuyés sur le dossier. Son dos et ses fesses étaient offerts à un solide gaillard aux longs cheveux châtains, bâti comme un joueur de football.

— Viens dans la chambre, a chuchoté Steve comme si nos voisins pouvaient l'entendre. Ils sont dans le salon, cette fois-ci, on les verra mieux de là-bas…

— Oui, oui. Je te suis.

La vue était meilleure, c'était vrai. Diane était toujours dans la même position, mais son amant, qui était auparavant immobile derrière elle, semblait maintenant explorer son corps dans ses moindres détails. Il se masturbait d'une main et, de l'autre, caressait Diane en la pénétrant avec ses doigts — exigeants devant, prudents derrière —, puis passait sa langue sur ses fesses rebondies. Mais c'était la main avec laquelle il se masturbait qui me fascinait. Même si elle semblait d'une taille supérieure à la moyenne, elle ne recouvrait que la moitié de la longueur de son énorme pénis. Je n'en avais jamais vu d'aussi gigantesque! Frénétiquement, Steve et moi avons retiré nos vêtements et j'ai pris place au bord de la fenêtre, dans la même position que Diane. Steve imitait l'homme, me caressant de plus en plus intensément. Finalement, j'ai vu l'inconnu s'introduire en elle. Un tel engin devait être douloureux… mais quel coup d'œil! Il a pris son temps, enfonçant sa queue peu à peu. Diane devait l'attendre avec impatience, car elle a joué des hanches, le forçant à entrer brutalement en elle.

Steve venait de faire la même chose que lui. Son sexe n'avait certes pas les mêmes proportions que celui de l'amant de Diane, mais cela me convenait très bien, du moment qu'il était là, derrière et en moi. Tout en les regardant, nous essayions de synchroniser nos mouvements aux leurs. J'étais fascinée par leurs corps luisants, souples et déchaînés. Les seins de Diane se balançaient au rythme endiablé de leur frénésie et je pouvais deviner, malheureusement mieux que je ne pouvais la voir, l'énorme queue bandée s'enfoncer plus profondément en Diane à chaque coup.

L'homme a accéléré son rythme et Steve a fait de même. Je tressaillais sous les coups que le ventre de mon chéri assénait contre mes fesses, de la même manière que Diane le faisait de son côté, aux prises avec son amant. Ils ont ralenti en même temps que nous, ont fait une pause en se serrant les épaules et le cou, se sont empoigné les cheveux, puis ont repris de plus belle. Ils ont même eu l'air de jouir en même temps, quelques minutes plus tard. Steve m'a alors invitée à m'asseoir au bord de la fenêtre pour me lécher avec délectation, jusqu'à ce que sa langue me satisfasse une autre merveilleuse fois. Après, je n'aurais pu dire ce que notre voisine faisait tant j'étais aux anges. Une fois remise, mon seul regret a été que malgré l'intensité farouche de nos gestes, tout cela avait été un peu bref.

— Tu crois qu'on devrait arrêter de les regarder? ai-je demandé à Steve, le souffle encore un peu court.

— Pourquoi donc? Je n'y vois rien de mal... Et entre ça ou un film, tu ne crois pas que le choix s'impose de lui-même?

— Oui, surtout ceux que tu choisis... Eurk!

— Pardon, madame! La prochaine fois, tu iras le chercher!

— Ce ne sera peut-être plus nécessaire, surtout si elle change de gars chaque semaine… Mais je dois bien admettre que celui-ci avait un petit je-ne-sais-quoi de bien attirant !

Diane changeait effectivement de partenaire assez régulièrement. Le type aux cheveux longs est retourné chez elle quelques fois, mais nous arrivions toujours trop tard pour bien en profiter. Or, Diane s'est contentée de ce dernier environ deux semaines. Un soir, en arrivant à la maison, je les ai surpris en pleine dispute. Il est parti peu de temps après en claquant la porte, et nous ne l'avons plus jamais revu. Dommage…

Peu de temps plus tard, j'ai croisé Diane sur le palier en rentrant tôt du travail. Elle m'a confié qu'elle avait une soudaine envie de sangria et qu'elle allait en chercher. Elle m'a téléphoné quelques minutes plus tard pour m'inviter à en boire avec elle. J'ai accepté, Steve ne devant rentrer qu'en soirée. De plus, j'étais très curieuse, ne connaissant d'elle que certaines de ses habitudes sexuelles…

Nous avons donc pris de la sangria sur sa terrasse, en bavardant de tout et de rien. J'ai appris qu'elle avait été actrice, mais qu'elle avait abandonné ce métier en raison de la réussite hasardeuse à laquelle on pouvait s'attendre dans ce milieu. Quant à ses petits amis, elle disait simplement avoir été, un jour, très malheureuse. Maintenant, elle ne perdait plus son temps. Si l'homme ne lui convenait plus après une semaine ou deux, elle en trouvait un autre. Sur le ton de la confidence, elle a ajouté qu'elle refusait de fréquenter trop longtemps le même homme, de crainte que faire l'amour avec lui ne devienne monotone. J'ai retenu un petit sourire…

La fin de l'après-midi s'est passée agréablement, avec en toile de fond une conversation plus ou moins superficielle. Bien sûr, je n'ai pas dit un mot de notre petit « espionnage ». Après quelques verres qui m'ont plongée dans un état plaisant et détendu, j'ai pris congé, prétextant l'arrivée imminente de Steve.

Lorsque je suis entrée chez moi, le téléphone a retenti. C'était bel et bien Steve, qui me confirmait qu'il arriverait bientôt, après avoir rencontré un dernier client. Je me suis étendue sur le sofa avec un livre et m'apprêtais à commencer ma lecture, quand un air de jazz provenant de chez Diane a glissé jusqu'à mes oreilles. Je me suis relevée presque par automatisme et l'ai aperçue sur sa terrasse, une serviette autour du corps, les cheveux mouillés. Elle n'avait pas pris la peine de se sécher et la lumière du crépuscule donnait à sa peau un reflet doré. Elle regardait droit devant elle, l'air absent, mélancolique. Puis, elle a pris place sur une de ses chaises longues, a fermé les yeux et a retiré lentement la serviette qui la recouvrait.

Elle avait un corps magnifique. Je l'avais déjà remarqué, bien sûr, mais c'était la première fois que je pouvais l'admirer sans contrainte. J'avais la quasi-certitude qu'elle savait que nous la regardions, Steve et moi. Elle a justement tourné tout à coup son visage dans ma direction, m'a vue ou, du moins, devinée sur mon sofa et a souri. Elle a ensuite fait couler un filet d'eau d'un petit arrosoir et l'a répandue, du bout des doigts, sur son corps voluptueux. La brise, sur sa peau mouillée, la faisait frissonner. Elle a fermé les yeux en flattant tendrement les pointes durcies de ses seins. Je pouvais voir, sans peine, sa poitrine se soulever au rythme de sa respiration, deviner la chair de poule sur ses épaules, son ventre. Diane a alors relevé les bras et s'est massée le cou, est descendue le long de sa gorge et a enfin laissé lentement reposer ses mains sur sa poitrine, le regard nostalgique. Ses seins ont semblé apprécier ce contact, puisque leurs pointes se sont davantage dressées, afin de permettre aux longs doigts de Diane de les pétrir avec plus d'insistance.

Je n'avais jamais été attirée par une femme et je ne peux pas dire que je l'étais vraiment par Diane. Mais son attitude désinvolte, sensuelle, et son corps sublime ont fait naître en moi une excitation brutale. Je n'avais aucune envie de la toucher ni de faire l'amour avec elle. Je prenais seulement conscience de mon corps, de sa soif de caresses. Je la regardais et m'imaginais à sa place, substituant mon corps au sien, pour sentir ses mains qui palpaient, qui touchaient. Je me suis déshabillée en la regardant, sentant confusément qu'elle me voyait, mais mon corps me forçait à ignorer la signification ou la portée d'un tel comportement. J'ai pris la même position qu'elle et ai posé les mains sur ma poitrine.

Diane s'était de son côté enhardie, et ses doigts se faufilaient entre ses cuisses dorées. Elle a écarté les jambes, ce qui a permis à ses ongles de s'enfoncer dans la chair douce de ses cuisses, laissant sur leur passage des marques que je devinais en raison de celles que je me faisais à mon tour. De sa main gauche, elle écarta ensuite ses lèvres moites, tandis qu'elle humectait l'autre de salive. Ses deux mains ont très vite fini par se rejoindre et ont entrepris la conquête de son intimité, très lentement, en épousant les formes de son sexe que je savais ruisselant, en taquinant son clitoris et l'entrée maintenant luisante de son vagin. J'avais un peu de difficulté à suivre son rythme lent, mon excitation me rendant impatiente. Mes séances de masturbation se déroulaient en général plus rapidement, résultant de poussées d'excitation soudaines et nécessitant une libération rapide. Diane m'apprenait enfin à m'offrir plus qu'une jouissance momentanée. Je prenais conscience des réactions de mon corps à une stimulation douce et à une lenteur presque exaspérante. Ma voisine a enfin accéléré sa cadence, d'abord imperceptiblement, puis presque frénétiquement. Son visage exprimait sans retenue ce qu'elle ressentait. Son sourire vague avait cédé sa place à un air de concentration intense, pour ensuite se crisper. Elle s'est soudain arrêtée, forçant ses deux mains à retourner vers sa poitrine, les jambes bien serrées l'une contre l'autre. Son visage s'est presque aussitôt détendu. Puis, elle s'est permis, après une brève pause, de reprendre graduellement son manège, les bras croisés sur ses épaules afin de simuler une longue étreinte avec un partenaire invisible.

D'un geste hésitant, elle a alors descendu ses mains vers son ventre, puis plus bas et a recommencé à se caresser rêveusement. Je crois qu'elle n'avait pas encore joui. Je me sentais tellement proche d'elle, à ce moment-là, que j'étais convaincue qu'elle n'aurait pu jouir sans moi. J'ai donc recommencé à me caresser en même temps qu'elle pour la suivre dans son ascension, la regardant se mordre la lèvre inférieure, captivée par le reflet du soleil couchant sur les gouttes d'eau recouvrant son corps. Je sentais mon ventre palpiter, la jouissance imminente et inévitable arriver quand Steve a fait son entrée dans le logement.

Il m'a regardée pendant un moment et est demeuré silencieux. Il s'est juste approché pour voir ce que je regardais si intensément et ce qui m'avait mise dans un tel état. J'ai alors vu à la dérobée le devant de son pantalon se gonfler.

— Viens...

J'ai cessé mes caresses et ai constaté que Diane avait vu Steve arriver. Elle a aussi ralenti ses gestes, attendant la suite. Conscient d'être épié, Steve est venu s'agenouiller à mes pieds, m'embrassant les jambes, les cuisses...

Quand sa langue a glissé sur mon sexe, j'ai à peine pu retenir un cri. Je me sentais tendue, prête à exploser. Diane, elle, a accéléré la cadence. Sa tête se secouait d'un côté, puis de l'autre. Elle s'est relevée et s'est agenouillée sur sa chaise, les jambes écartées, le dos arqué. Elle a saisi l'un de ses seins et l'a tiré jusqu'à ses lèvres, alors que sa main droite s'activait plus vite, plus furieusement que jamais. Elle allait jouir d'une seconde à l'autre et je voulais partager cet instant avec elle. Je me suis donc abandonnée aux caresses urgentes de la langue de Steve et l'ai imploré de me faire monter. Il m'a alors pénétrée de ses doigts, laissant toujours sa bouche m'inonder de plaisir. Quand la main de Diane a finalement lâché son sein magnifique pour la faire basculer dans l'orgasme, j'ai joui si fort que j'ai senti mon ventre se secouer pendant ce qui m'a semblé une minute entière.

Diane s'était étendue de nouveau, frémissante. Steve, lui, n'a pas pu attendre plus longtemps et est entré violemment en moi. Il m'a empalée de toutes ses forces, glissant à l'intérieur de mon corps sans résistance aucune. Je me suis rapidement soulevée du sofa pour pouvoir m'asseoir sur lui, le guider en moi et lui imposer mon rythme. J'ai engouffré son sexe le plus profondément possible dans le mien et suis restée là, sans bouger, laissant les muscles de mon ventre le masser amoureusement. Steve s'est laissé faire un moment, puis m'a de nouveau renversée sur le sofa, ramenant mes jambes sur ses épaules. Il m'a ensuite transpercée brutalement, jusqu'à ce qu'il explose enfin…

— C'est vraiment une belle façon de m'attendre…

— Tout le plaisir a été pour moi !

• • •

Deux semaines se sont par la suite écoulées sans nouvelles de Diane. En fait, nous n'avions vu personne chez elle depuis nos derniers ébats à trois. Nous étions très déçus, Steve et moi, d'autant plus que la dernière fois avait été plutôt palpitante. Quand nous faisions l'amour, maintenant, nous tentions de l'apercevoir ou, du moins, de discerner sa présence. Mais en vain.

En me rendant au travail, un bon matin, j'ai rencontré le concierge, qui m'a appris que Diane quittait son logement. Il m'a demandé si je connaissais quelqu'un qui pourrait être intéressé par cet appartement. Je lui ai répondu que non, mais que j'allais en parler à Steve. J'étais triste et je savais que mon amoureux le serait tout autant. Finies, nos petites soirées d'observation... On n'a pas tous les jours la chance d'avoir de tels voisins !

Nous en avions largement profité, mais devions malheureusement nous rendre à l'évidence. Nous avons d'ailleurs pas mal rigolé les semaines suivantes en regardant une pléiade de gens visiter l'ancien appartement de Diane. Nous essayions de les imaginer en nous conformant à ce que Diane nous avait si généreusement offert. Le couple dans la soixantaine qui se regardait à peine et qui avait paru scandalisé par les miroirs de la chambre à coucher ? Non, sûrement pas ! Le gros barbu avec son minuscule caniche ou la dame seule avec ses trois chats ? Assurément pas. La mère et son fils, adolescent, qui se chamaillaient sans arrêt ? Non. Le couple dans la trentaine, qui se tenait par la main et avait des allures de jeunes mariés ? Tiens, tiens, intéressant...

Ce sont eux, en fin de compte, qui ont emménagé dans le logement. Nous n'avons jamais revu Diane, même pas la journée où un énorme camion est venu chercher ses affaires. Quelques jours plus tard, nous avons invité les nouveaux locataires à prendre le café chez nous. Ils sont arrivés fatigués, un peu hagards.

— Excusez-nous, on vient tout juste de s'installer. Quel travail... Et ces fenêtres ! Oh, c'est joli, la manière dont vous les avez décorées.

— Oui, nous nous sommes cassés la tête nous aussi. Mais la vue en vaut la peine...

Après avoir bavardé un peu avec eux, ils sont retournés chez eux. Ils étaient mignons et venaient à peine, comme nous nous en doutions, de se marier.

Steve regardait l'appartement d'un air songeur. Son regard s'est alors posé sur ma petite robe, et ses yeux sont devenus brillants. Il avait l'air d'un gamin.

— Tu es fatiguée ?

— Ça dépend. Pourquoi?

— J'ai une idée...

À ces mots, il a ouvert en grand les rideaux, a mis un disque de blues et a allumé nos deux lampes préférées, qui diffusaient une douce lumière ambrée dans le salon. Nous avons au même instant entendu nos nouveaux voisins sortir prendre l'air sur leur terrasse.

Steve s'est approché de moi et a commencé à mordiller mes oreilles et mon cou. J'ai demandé innocemment:

— Mais qu'est-ce que tu fais?

— Si on leur souhaitait dignement la bienvenue?

Et il m'a entraînée plus près de la fenêtre...

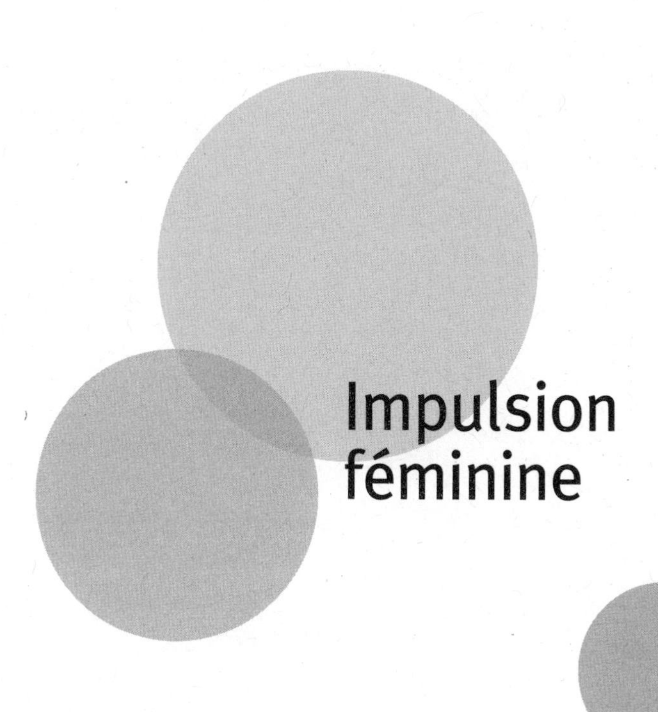

# Impulsion féminine

J'ai toujours été très malchanceuse en amour. Dès que j'ai été en âge de m'intéresser aux hommes, j'ai eu une tendance à hyper-rationaliser, décidant à l'avance, au lieu de simplement ressentir, mes moindres besoins et désirs. Si, par malheur, ma «flamme» du moment ne correspondait pas tout à fait à ce que j'attendais d'elle, je m'en débarrassais sans chercher plus loin. Si, au contraire, cet amant était conforme à ce que je recherchais, il devenait subitement beaucoup trop prévisible et je m'en lassais, préférant le quitter sur-le-champ plutôt que d'étirer une situation qui ne mènerait nulle part. J'ai vécu de cette manière mon adolescence, ma glorieuse vingtaine, ainsi qu'une bonne partie de mon insatisfaisante trentaine. Ce n'est que tout récemment que je me suis mise à entrevoir la triste et démoralisante possibilité qu'il n'y avait peut-être pas, du moins sur cette planète, d'Homme idéal.

Cette perspective, quoique encore au stade hypothétique, a été très dure à avaler. Je m'étais convaincue, au fil d'aventures plus décevantes les unes que les autres, que je méritais ce qui se faisait de mieux dans le genre masculin et que j'allais forcément trouver LE mien, ma douce moitié, celui qui m'irait comme un gant. Ma mère m'avait tant répété que je le saurais instantanément, quand je rencontrerais LE véritable amour! J'attendais impatiemment, lors de chaque nouvelle rencontre, les palpitations et les révélations de tout acabit, des crampes d'estomac aux signes plus ésotériques comme des coups de tonnerre et des éclairs révélateurs. Par dépit, je finissais invariablement par me répéter que la prochaine fois serait peut-être la bonne.

Mais voilà… la fois suivante était presque toujours pire que la précédente. Ce manège a continué tant d'années que j'ai assisté, avec un sentiment d'impuissance enrageant, à l'apparition de mes premières rides. Je m'obstinais à être positive, à croire aux miracles, mais j'ai finalement dû faire un terrible constat: ce que je recherchais n'avait pas encore été conçu par Dieu ou par celui ou celle qui aurait placé la race humaine sur Terre.

«Ce n'est pourtant pas si compliqué que ça», me disais-je. J'avais, depuis longtemps, dressé une liste des qualités les plus importantes que devait posséder un homme pour entrer dans ma vie. Ces critères étaient, somme toute, assez élémentaires. J'avais encore une image très favorable et amplement justifiée de moi-même, ce qui me permettait d'exiger un certain nombre d'attributs avant d'accorder mes faveurs.

C'était donc avec soin que j'avais répertorié et noté dans un cahier une série de préalables que je pourrais mémoriser. Tout ça dans le but d'éviter, après quelques soirées passées avec un candidat décevant, d'avoir à me faire l'éternel reproche: «J'aurais dû le savoir!»

Pour être honnête, quelques candidats avaient bien rencontré certaines, voire plusieurs de mes exigences. Mais il y avait toujours quelque chose qui clochait. Ou bien Monsieur «oubliait» que je déteste le brocoli et m'en préparait trois soirs de suite — il est vrai que je n'avais pas eu à lever le petit doigt de la semaine, mais quand même! —, ou bien il me faisait enrager en m'offrant des roses rouges alors que je préfère les blanches, un point sur lequel j'avais été très claire. L'un d'eux avait même eu l'audace d'oublier de mettre du champagne au frais, alors qu'il savait très bien que j'avais eu une dure journée. C'était à se demander s'ils le faisaient exprès ou s'ils étaient simplement incapables de se souvenir de ce genre de détail capital. Enfin...

Après avoir réfléchi à la situation pendant de longues nuits partagées avec mon vibrateur favori, celui orné du délicieux petit castor, j'ai finalement eu une révélation : ce n'était pas parce que j'incarnais moi-même la perfection que je pouvais en attendre autant du sexe opposé. Je devais impérativement cesser de chercher l'Homme parfait. Il fallait que j'abandonne coûte que coûte l'idée que je pourrais trouver, parmi les simples mortels, un seul homme qui comblerait tous mes désirs et me rendrait totalement heureuse.

J'ai donc sur-le-champ entrepris une fouille systématique. J'ai soigneusement épluché tous mes carnets d'adresses, actuels et antérieurs, et ai enquêté auprès de toutes mes connaissances. Bref, j'ai fait travailler ma petite cervelle dans le seul but de trouver des candidats imparfaits, certes, mais au potentiel intéressant, et j'ai fini par en choisir... trois.

Cela peut sembler douteux, comme stratégie, mais les circonstances ne me laissaient guère le choix. De plus, je ne faisais, après tout, de mal à personne... et à moi, énormément de bien. Comble de l'ironie ultime, je les ai rencontrés tous les trois le même jour, tout à fait par hasard. À différents moments de la journée et dans divers contextes, bien sûr, mais ce soir-là, en me mettant au lit, j'avais enfin la joie d'anticiper des perspectives intéressantes. Ce n'est que maintenant que je réalise tout ce que je peux en faire...

Les trois hommes de ma vie, du moins pour le moment, sont merveilleux. Ils réussissent à me combler, tant sur le plan émotif que sexuel, comme jamais je ne l'aurais cru possible. Ils n'ont rien en commun et c'est ce qui fait leur charme. Ils se complètent à merveille et n'ont pas la moindre idée de la place qu'ils occupent dans ma vie.

Denis évoque pour moi une valse tendre et touchante,

romantique et solide. Je l'ai rencontré au supermarché. J'ai tout de suite compris, en examinant le contenu de son panier, qu'il vivait seul. Mais attention, pas de surgelé pour lui! Rien de luxueux non plus, mais j'ai deviné qu'il se débrouillait bien dans une cuisine et j'avais tout à fait raison. Notre rencontre s'est produite d'une façon spectaculaire et cocasse. Il ne croyait vraisemblablement pas aux vertus du chariot d'épicerie et il avait les bras chargés de fromages de toutes sortes, de légumes, de fruits et de paquets d'œufs. Il était d'ailleurs si absorbé par sa liste d'achats qu'il a trébuché sur mon panier, a cassé deux œufs au passage et répandu ses paquets sur le sol, ce qui l'a fait rougir jusqu'aux oreilles.

Nos regards incertains se sont croisés un instant, puis nous avons pouffé de rire en même temps. Il m'a avoué qu'il était nerveux parce qu'il recevait, ce soir-là, sa mère et son nouveau mari pour la première fois. Il m'a tout de suite invité à aller prendre une glace à la nouvelle crémerie. Après quelques heures de conversation fluide et agréable, il m'a demandé si je voulais lui sauver la vie en étant présente lors de cet affrontement du jour. J'ai accepté volontiers sa proposition et ai passé une excellente soirée en sa compagnie.

Notre relation a mis environ une semaine à se concrétiser. Le temps qu'il me fallait pour soupeser les qualités et les défauts de ce nouveau soupirant. J'en suis venue à la conclusion qu'il remplirait très bien sa part du marché. C'est un parfait cuisinier qui me prépare régulièrement de merveilleux repas archiromantiques. Il m'apporte ou me fait livrer tous les trois jours de ravissantes roses sans se tromper de couleur. Denis adore le cinéma et est l'un de ces hommes, trop rares et tellement émouvants, qui savent encore verser quelques larmes devant un film triste ou touchant. Il s'attendrit de façon charmante sur mon sort: lors de chacun de nos rendez-vous, après m'avoir attentivement écoutée raconter ma pénible journée, il masse tendrement mon dos, mes épaules et mon cou de ses doigts de fée. Quand nous nous rencontrons chez moi, il arrive à l'avance et lave ma vaisselle du matin, me prépare un bain chaud débordant de bulles et m'accueille avec un dry martini préparé à la perfection.

À chacune de nos rencontres, avant le premier baiser, il me regarde droit dans les yeux et me dit d'une voix douce et émue que je resplendis toujours davantage. Il adore mon corps, qu'il traite et caresse comme un bijou délicat ou une étoffe des plus précieuses. Quand Denis me fait l'amour, c'est avec des gestes lents et affectueux, caressant et embrassant chaque parcelle de ma peau de ses lèvres douces. Il s'assure toujours que l'atmosphère soit parfaite : quelques bougies ici et là, une musique douce et discrète, des draps de satin. Il me dédie de longues heures pour faire monter en moi un délicieux plaisir. Il est un peu trop tendre, parfois... mais ce n'est pas très grave. J'essaie de le voir lorsque j'ai surtout besoin de tendresse et d'affection. Son membre est plutôt petit, mais il sait en user comme un virtuose. Il se glisse en moi presque timidement, après s'être assuré que j'aie atteint un niveau d'excitation convenable. Et il me fait l'amour en me regardant droit dans les yeux et en me murmurant des mots enflammés. Avec Denis, je me sens femme, belle et désirable. Il sait s'adapter à mon irritabilité passagère et à mes crises de larmes imprévisibles sans poser de questions ni faire de remarques. Il est le tout premier homme auquel il ne m'a pas été nécessaire de tout expliquer. Ce qui, en l'occurrence, implique soit de me laisser seule, soit de me consoler. Or, la versatilité de Denis — un attribut féminin auquel je tiens particulièrement — lui permet de s'adapter à mes sautes d'humeur et à mes changements d'avis constants. Dans ses bras, je dors comme un bébé, sachant que je n'ai rien à craindre. Je me réveille toujours fraîche et dispose, avec au cœur un baume très agréable qui me permet de passer une journée parfaite, gardant mes forces et mon énergie pour... Rico.

Là, c'est une tout autre histoire... Rico est un superbe mulâtre de Jamaïque. Sa peau a la couleur d'un café bien corsé mélangé avec un nuage de crème onctueuse, et son corps puissant respire la vie passée au grand air et les durs travaux manuels. Attention, toutefois : il est immense ! Il me dépasse de deux bonnes têtes et est tout en muscles. De plus, ce qui ne gâche rien, il semble confirmer le fameux cliché qui veut que les hommes de race noire jouissent d'une impressionnante «virilité». En un mot, Rico est une bête sauvage avec juste assez de douceur, de classe et de charme pour en faire une escorte parfaite. Mais je ne lui demanderais jamais de soutenir une conversation un tant soit peu profonde, car il serait incapable de se débrouiller très longtemps. Toutefois, quand j'ai des sorties, c'est sans hésitation et avec fierté que je me pavane à son bras. On voit immédiatement qu'il est plus jeune que moi, mais c'est le moindre de mes soucis. À toutes les réceptions auxquelles il m'a accompagnée, j'ai pu constater les effets dévastateurs de la sensualité brute qui émane de lui sur la gent féminine. Pour tout dire, je n'ai encore jamais vu personne, homme ou femme de tout âge, qui ne soit troublé par son charme. La plus grande qualité de Rico ? Son ardeur masculine apparemment inépuisable. Il en a même à revendre, et je serais très étonnée de le voir perdre ses facultés sexuelles un jour, contrairement à certains de mes anciens amants !

Même les épouses de certains de mes clients des plus fortunés — je suis publicitaire et transige avec des gens ridiculement riches —, ces femmes dans la soixantaine passant leurs journées à s'occuper d'œuvres de charité et de leurs caniches, seraient prêtes, j'en suis certaine, à tout laisser tomber pour passer une nuit avec lui. Maison cossue, voiture de luxe, Mercédès, bijoux, tout cela leur semblerait bien puéril en échange de tout ce qu'il a à offrir. Rico, c'est le désir pur, les sens en pleine euphorie, un magazine porno incarné, une sexualité brute et palpable. Mais j'y reviendrai...

Étienne, quant à lui, c'est mon père, mon mentor, mon idole. Et moi, je suis sa petite princesse, son cadeau du ciel, sa muse. Étienne a la cinquantaine épanouie. Il a toujours connu l'opulence et la partage allègrement avec moi. Il y prend un plaisir évident et presque pervers. Chaque soirée avec lui est d'un luxe fou. Il me fait des cadeaux somptueux et m'offre des tenues dignes d'une vedette de cinéma chaque fois que nous sortons ensemble.

J'ai rencontré Étienne par le biais de mon travail. J'avais proposé à ses associés une campagne publicitaire de mon cru, à savoir agressive, provocatrice, innovatrice et extrêmement coûteuse. Ils lui ont suggéré d'attendre d'autres propositions moins onéreuses, mais Étienne a tout de suite été séduit. Il a même insisté pour me rencontrer et m'a fait comprendre, sans équivoque, qu'il désirait me revoir... pas pour discuter de sa prochaine campagne de promotion. J'ai adoré ma première soirée avec lui: repas gastronomique dans un des restaurants les plus élitistes de la ville, promenade au clair de lune le long de la rivière, cognac chez lui et tout le reste...

Étienne m'a alors avoué qu'il était fanatique de certains plaisirs «particuliers». Il aime voir la femme agir comme une souveraine régnant impitoyablement sur ses sujets, en l'occurrence des mâles. Derrière l'homme d'affaires craint et respecté, le géant impitoyable et le patron intransigeant, se cache donc un être soumis, prêt à se plier à tous mes caprices. Une fois, il m'a suppliée de le punir parce qu'il m'avait imaginée dans des poses suggestives au cours de la journée, et j'ai tout de suite compris ce qu'il attendait de moi. J'ai par conséquent utilisé le jupon en dentelle et les bas assortis que je portais pour lui attacher solidement les poignets et les chevilles à l'immense lit. Je l'ai ensuite torturé de longues minutes en me contentant de regarder sa queue bander de plus en plus, jusqu'à ce qu'elle ait atteint une taille que ni lui ni moi n'aurions pu soupçonner. Étienne désirait être puni et je ne voulais pas le priver de ce plaisir. J'ai donc exigé qu'il me fasse jouir plusieurs fois, en utilisant seulement sa langue... Il faisait de son mieux, le pauvre chéri ! Il n'était pas non plus question que je lui permette de se caresser de sa main libre, alors je me contentais de le frôler de temps à autre afin de tester sa volonté. J'ai quand même eu pitié de lui après mon quatrième orgasme, et seulement parce que ma position devenait inconfortable. Je n'ai alors eu qu'à l'effleurer de ma langue humide pour qu'il jouisse sur mon visage dans un torrent libérateur.

Avec Étienne, je me sens forte, autoritaire et sûre de moi. Tout ce que je lui fais lui plaît : les surprises, les nouvelles expériences et les fantasmes les plus farfelus. Je peux me laisser aller à n'importe quelle fantaisie, n'importe quel caprice. Je sais maintenant, après quelques semaines passées avec lui, attendre le bon moment pour le voir. Je me le réserve pour les soirs où je me sens forte et arrogante, ou alors pour ceux où je désire me faire gâter. Par contre, je l'éloigne évidemment lorsque j'ai envie que quelqu'un d'autre fasse tout le travail. Étienne, de son côté, m'adore et sait reconnaître ma supériorité. Il est aveugle à mes rarissimes défauts... Et puis, il est beaucoup trop fier pour m'imposer quelque contrainte que ce soit. Je n'ai même jamais droit à des crises de jalousie ou de possessivité. Il sait très bien qui est le maître : ma vie privée ne le regarde pas.

Bref, mes trois amants ont de merveilleuses qualités, aussi importantes les unes que les autres. Je peux ainsi profiter d'une alternance paradisiaque sans jamais me lasser et choisir celui qui me convient selon le genre de soirée que j'ai envie de passer.

Je ne décide jamais rien à l'avance, attendant à la dernière minute avant de jeter mon dévolu sur l'un ou sur l'autre, sachant très bien qu'ils seront ou se rendront disponibles au moindre signe de ma part.

Je sens toutefois qu'avec Rico, c'est un peu différent. J'ai passé environ une douzaine de nuits avec lui jusqu'à maintenant. Chacune d'entre elles m'a laissé un souvenir indélébile, en plus de multiples contusions temporaires et franchement exaltantes.

Rico est en fait le seul qui me fasse languir, provoque chez moi de l'inquiétude avant de s'avouer disponible. Voilà pourquoi je n'en abuse pas trop. Je l'ai rencontré au centre sportif. La première fois que je l'ai vu, je me demandais si je rêvais. Il était tout simplement impossible qu'un homme, et non un dieu, pût exhaler autant de sexualité sans être carrément vulgaire ou gai. Son corps était couvert de sueur, sa peau foncée luisant comme un métal poli à l'excès. Je suis restée en pâmoison quelques instants, avant de reprendre possession de mes moyens... et d'aller au plus vite revêtir quelque chose de plus avantageux! Après une brève enquête auprès des entraîneurs de l'endroit — quelques-uns étant d'ex-amants qui voyaient trop bien où je voulais en venir —, j'ai su qu'il avait été mannequin pendant quelques années, ce qui lui avait permis d'assouvir sa passion pour le saxophone sans s'inquiéter financièrement. Il n'avait pas du tout l'intention d'en faire une carrière, mais adorait en jouer et pouvait se permettre d'accompagner d'obscurs orchestres de jazz de temps à autre. Et que faisait-il le reste de son temps? Il le passait à entretenir son corps — et comment! —, à skier l'hiver et à faire de l'alpinisme l'été.

Comme je ne pouvais m'empêcher de le dévorer des yeux, il a rapidement constaté l'effet qu'il me faisait et est venu me saluer à la sortie du gymnase. Nous avons parlé de tout et de rien pendant quelques minutes et nous sommes quittés le plus innocemment du monde. Les choses en sont restées là pendant plusieurs semaines. Il était toujours très gentil, poli et discret à sa façon. Je me suis dit qu'il devait avoir des dizaines de petites amies, sans toutefois me décourager.

C'est l'après-midi de la panne d'électricité que tout a basculé. Je dois avouer que je faisais montre, depuis cette rencontre, d'un intérêt presque exagéré pour l'exercice. Non que j'étais paresseuse auparavant, mais tout à coup, je redoublais d'efforts. Cet après-midi-là, j'avais même quitté le bureau plus tôt pour être au centre sportif à l'heure à laquelle je savais que Rico serait présent. L'endroit était presque désert, mais il était bien là, dans toute sa magnifique masculinité. Arrivés en même temps dans le gymnase, nous avons fait nos exercices respectifs tout en nous adressant des sourires chaque fois que nos regards se croisaient. Tout allait pour le mieux et nous avons convenu de nous rejoindre en bas, tout de suite après, pour boire quelque chose ensemble. Et c'est en me rendant prendre ma douche que, tout à coup, l'édifice au complet s'est retrouvé plongé dans les ténèbres.

Je suis restée figée dans le vestiaire, mon maillot à moitié retiré, attendant la suite. Quelques instants plus tard, un entraîneur a demandé à tous les clients sur place de cesser immédiatement tout entraînement afin d'éviter des blessures et de se rendre devant l'entrée principale. Il a ensuite frappé à la porte du vestiaire, en demandant s'il y avait quelqu'un à l'intérieur.

— Je me change et je descends tout de suite, lui ai-je répondu.

Une voix a alors retenti, annonçant qu'il ne s'agissait pas d'un fusible, mais bien d'une panne qui ne serait pas réparée avant quelques heures. Et Rico qui m'attendait! Il n'était pas question de le rejoindre avant d'avoir pris une douche. À peine déshabillée, j'ai soudain entendu des pas feutrés qui se dirigeaient vers moi. Mon cœur battait à un rythme effréné, mais j'ai feint l'assurance et suis parvenue à demander:

— Qui est là ?

Sans répondre, Rico m'a soulevée de terre et, en me tenant solidement les cuisses, il a murmuré :

— Ce n'est que moi. Tu veux que je te laisse ?

Je suis demeurée silencieuse, laissant mes mains se saisir de ses épaules herculéennes et ma bouche se refermer sur les muscles de son cou. Ses longs cheveux emmêlés chatouillaient mes épaules, mes seins. Je me sentais si petite dans ses bras ! Il m'a déposée par terre, a mis un doigt sur ma bouche pour me faire taire au cas où il me serait venue l'idée vraiment incongrue de protester et, en me tenant par la main, m'a entraînée vers la sortie du vestiaire. J'étais nue mais je n'en avais rien à faire.

La salle d'exercice était déserte, et seules quelques lampes d'urgence l'illuminaient d'un pâle halo rougeâtre. Les miroirs reflétaient à peine nos deux silhouettes. Le géant a déposé la naine sur le banc d'exercice incliné et s'est penché sur elle, leurs corps emmêlés à quarante-cinq degrés.

J'étais étonnée de la douceur de ses lèvres, de la fraîcheur de son haleine. Sur mon bassin, j'ai senti avec joie une enflure rigide se former, laissant présager une agréable surprise. Rico était lourd, insistant, et sa queue me faisait délicieusement mal tant elle était pleine de promesses. J'ai laissé sa langue explorer ma bouche avide, lécher mon cou, mes petits seins. Agrippant l'extrémité du banc, Rico a fait glisser son corps le long du mien, m'écrasant avec volupté, descendant le long de ma poitrine et de mon ventre, avant de remonter vers ma bouche. Sa peau salée avait un goût d'amande et de fruit frais...

Il m'a ensuite soulevée de nouveau et m'a emmenée comme si je n'étais qu'une petite fille d'un poids négligeable sur un autre banc, cette fois-ci horizontal et muni de supports. Quelle adorable sensation ! Rico a fait glisser mon corps jusqu'à ce qu'il n'y ait plus que le bas de mon dos contre le banc. Je me suis retenue de tomber en agrippant la barre au-dessus de ma tête. Je ne voulais pas deviner ce qui m'attendait. Je désirais y assister comme une spectatrice, comme une voyeuse. En tournant la tête d'un côté, je pouvais voir la silhouette de Rico découpée dans le miroir, son corps sublime s'agenouiller devant moi, écarter mes cuisses et me regarder. Regarder mon corps offert sans la moindre résistance. Ses deux larges mains sur ma peau m'ont fait frissonner. Ses deux pouces ont massé doucement l'intérieur de mes cuisses, remontant imperceptiblement, centimètre par centimètre. J'attendais avec impatience qu'ils se posent enfin sur mon sexe déjà moite, mais ils le contournaient, l'évitaient, massant au-dessus, en-dessous, ouvrant doucement les lèvres humides sans me donner ce que mon corps réclamait. Je sentais le liquide perler... D'un doigt trop timide, il y a goûté en poussant un petit grognement satisfait. Mes grognements, à moi, ne l'étaient pourtant pas, satisfaits, loin de là! Devinant que je n'endurerais pas longtemps ce supplice, il a écarté plus largement l'entrée cachée de mon corps, l'exposant à son regard et à l'air frais. Comme en proie à la réflexion, il est demeuré immobile pendant quelques instants. Et alors que je ne l'espérais plus, sa langue s'est enfoncée en moi, accompagnée d'un doigt inquisiteur qui m'a fait soupirer d'aise.

Le miroir m'a renvoyé l'image d'une femme cambrée sur un banc trop dur et en proie à un désir puissant. J'étais bien décidée à le laisser continuer ce qu'il avait commencé... Son doigt s'enfonçait en moi sans merci, et sa langue effaçait au fur et à mesure toutes les larmes de plaisir qui s'écoulaient de mon corps. J'avais envie de hurler, mais nous n'étions pas seuls, après tout, et je ne voulais surtout pas tout gâcher. Je n'avais qu'une idée en tête: le toucher, empoigner son membre à pleines mains. Je voulais savoir s'il était aussi alléchant que je le croyais et je voulais impérativement enfouir son sexe au plus profond de moi, devenir sa proie... Comme s'il lisait dans mes pensées, Rico a retiré son short, récompensant mon attente d'une queue formidable, gigantesque, luisante. Mais je n'étais pas au bout de mes peines... Il a appuyé le bout de son membre contre moi, a fait mine de s'engouffrer, puis s'est subitement retiré. Il a répété ce manège trois fois avant de se relever.

J'allais protester lorsqu'il a apporté une autre barre et l'a déposée à l'autre bout du banc. Il y a fait passer mes jambes, ne laissant une nouvelle fois que mes fesses dépasser, suspendues dans le vide. Il s'est enfin agenouillé devant moi et, d'un même geste, comme si sa queue était déjà guidée, il l'a glissée entièrement en moi. L'image que j'ai tout à coup aperçue dans le miroir le plus proche m'a semblé étrange: j'étais allongée sur le dos, les bras agrippant une barre au-dessus de ma tête, l'arrière des genoux appuyés sur une autre, et j'étais juste à la bonne hauteur pour subir, sans défense, l'attaque de mon nouvel amant. Et quelle femme aurait voulu se défendre? Son sexe était immense! Probablement la plus grosse queue que j'avais jamais eue en moi. Je me sentais remplie, possédée, étirée. Même à genoux, il me dominait d'une cinquantaine de centimètres. Je sentais chaque assaut se répercuter dans mes reins, et mon ventre s'engourdir. Et alors que je doutais de pouvoir supporter plus longtemps cette pose, Rico m'a caressée allègrement, au rythme de sa queue, ne me laissant nul autre choix que celui de jouir sans retenue... Mais cela ne lui suffisait pas. J'ai compris plus tard que Rico ne faisait, à ce moment-là, que «s'échauffer».

Devant l'un des nombreux miroirs de la salle de sport, se trouvait un appareil pour exercer les biceps: un petit siège devant lequel un coussin, environ de ma hauteur, attendait patiemment que quelqu'un en fasse bon usage. Rico m'a donc fait m'agenouiller sur le siège, les fesses bien hautes et le haut de l'abdomen appuyé sur le coussin, de façon à ce que mes seins soient bien appuyés et libres de se faire caresser. Faisant face à mon reflet, je me suis étonnée de voir mon regard vague, mes lèvres humides et mes épaules couvertes de sueur. Rico s'est alors approché de moi par derrière, l'arme pointée, et m'a pénétrée de toutes ses forces. Mon ventre cognait contre le coussin, mes seins se soulevaient et tremblaient à chaque coup qu'il me portait. Était-ce vraiment moi, là, devant ce miroir ? Je ne me reconnaissais plus. Je ressemblais à une spectatrice regardant un film des plus suggestifs, dans lequel l'héroïne n'aurait pas feint d'avoir du plaisir avec son partenaire.

La fille devant moi s'est emparée de ses seins et les a caressés fébrilement tandis que, derrière elle et de plus en plus furieusement, un géant s'enfonçait, se retirait, la pénétrait toujours davantage en une danse effrénée. Elle a senti un autre orgasme s'annoncer : sa tête frissonnait, son ventre était pris d'une vague de chaleur subite et ses muscles se contractaient. Elle s'est hâtée et a tenté de se caresser tant bien que mal, sachant qu'au premier contact de son doigt humide, elle vibrerait d'un orgasme brûlant. L'homme, devinant ce qu'elle voulait faire, a ralenti son allure pour l'obliger à patienter. Elle l'a supplié en soupirant, jusqu'à ce qu'il la soulève pour lui faire nouer ses jambes autour de sa taille virile, avant de l'empaler brutalement. Et c'est lui qui, dans un geste ultime, a déposé un doigt tout chaud sur le sexe enragé de sa maîtresse. Il l'a aussitôt sentie jouir en créant un torrent auquel il a succombé à son tour.

Nous avons probablement bien fait les choses, puisque c'est à ce moment-là que nous avons entendu que quelqu'un montait l'escalier, armé d'une lampe de poche. Les amants du miroir se sont donc faufilés au vestiaire, concluant leur étreinte sous la douche. Rico est parti de son côté pour me laisser m'habiller. Nous nous sommes quittés après un dernier tout petit baiser, presque chaste.

Il m'a ensuite fait languir trois longs jours. Celui-là... Je me suis alors juré que jamais, il ne saurait à quel point je l'attends et j'en rêve.

Après cette première épreuve qui m'a paru durer une semaine, nous nous sommes vus presque tous les jours. Denis et Étienne étaient inquiets... les pauvres amours. Je ne leur ai rien dit, puisque je ne leur devais, après tout, aucune explication. Toutefois, après une dizaine de jours de cette délicieuse violence, j'ai eu de nouveau envie de la tendresse de Denis.

Je lui ai donc téléphoné, lui assurant que je ne l'avais pas oublié et que je souhaitais le voir. Il m'attendait avec un joli bouquet de roses blanches... Un dîner copieux mijotait sur la cuisinière, et la table était ornée de chandelles. Il ne m'a pas questionnée au sujet de ma disparition, se contentant de me dire qu'il s'était inquiété, craignant que quelque chose de fâcheux ne me soit arrivé. Nous avons passé la soirée à siroter du vin dans le salon et à relaxer au son d'une douce musique. Puis, nous avons dormi dans les bras l'un de l'autre, sans faire l'amour. À vrai dire, j'étais assez endolorie... et c'était exactement ce dont j'avais besoin.

Quelques jours plus tard, Étienne m'a emmenée au théâtre... à New York, à bord du jet privé de sa compagnie. Il me réservait une véritable escapade de jeunes mariés! Sur place, j'ai eu droit aux musées, aux grands magasins dans lesquels il a dépensé une fortune. Dans l'un des hôtels les plus chers de la ville, nous avons exploré les multiples possibilités des bains tourbillons, des lits à baldaquin et des talons aiguilles. Étienne me répétait sans cesse que je lui avais manqué, qu'il avait été sage durant mon absence, mais qu'il devait toutefois être puni pour s'être masturbé à quelques reprises.

Je lui ai donc infligé punition sur punition, songeant que j'aimerais bien que Rico m'impose le même traitement une fois que je serais tout à fait remise. Nous nous sommes quittés à l'aéroport, et je me suis assoupie dans la limousine qui me ramenait chez moi.

Je vis ainsi depuis déjà un bon moment. C'est épuisant, mais tellement satisfaisant! Il m'arrive de m'accorder quelques brefs moments de solitude, quoique de plus en plus rarement. Comme j'ai presque toujours ce que je désire sous la main, je ressens de moins en moins le besoin d'être seule. Ma vie a pris une tournure idyllique, dessinant chaque jour sur mon visage un sourire comblé, et mon travail de conception publicitaire me satisfait plus que jamais.

Cette expérience s'avère des plus pertinentes et me permet de joindre l'utile à l'agréable. Mon contrat actuel, le plus important depuis longtemps, se doit d'être sans failles. Il s'agit de LA campagne ultime qui couronnera toutes ces années de travail et mon entreprise d'un succès certain. Voilà pourquoi je me suis donné la peine de faire l'expérience du produit et de mener une enquête des plus exhaustives. J'envisage même très sérieusement d'offrir mes services pour la conception des différents «programmes» de ce dernier. Je suis sûre que mes idées plairaient à d'autres et, avec un peu de chance, j'en profiterais aussi longtemps que je le désirerais.

Aussi, comme je sais que je serai bientôt trop occupée pour voir mes trois adorables amants, je me suis résolue à passer une soirée avec chacun d'entre eux. L'un après l'autre et pas plus d'une soirée, afin de rester un peu insatisfaite et d'avoir hâte de revenir vers eux.

Cette fois, c'est moi qui ai préparé un merveilleux repas à Denis. Je n'ai pas lésiné sur le coût et lui ai offert ce qu'il y avait de mieux. Je me suis appliquée pour élaborer le menu, qu'il a adoré, et pour créer une atmosphère romantique. Nous avons fait l'amour dans de frais draps de satin, avec des mouvements langoureux, des gestes empreints de douceur… Je me suis repue de son affection et de sa tendresse.

Le lendemain, j'ai traîné Étienne en laisse pendant une heure, me réjouissant de le voir suivre mes instructions à la lettre. Je marchais devant lui, ne portant que des sandales vertigineuses et un bikini en latex. Je me sentais voluptueuse, la femme fatale par excellence. Sa soumission et son abandon m'ont réconfortée.

Le troisième soir, Rico et moi avons fait l'amour furieusement et intensément dans la loge de la petite boîte de nuit où il jouait. La musique m'avait fait tourner la tête et, toute la soirée, j'avais désiré Rico de tout mon être. Il a sauté sur moi dès la fin du spectacle et m'a possédée durant ce qui m'a semblé des heures. Je l'ai quitté à l'aube, les jambes molles et étourdie, marchant d'un pas rêveur jusque chez moi pour dormir quelques heures avant mon travail.

Il est temps de leur dire au revoir et de travailler. Un défi gigantesque m'attend, mais je me sens capable, grâce à l'étude de produit que je mène consciencieusement depuis maintenant un mois, d'accomplir une tâche incomparable.

C'est avec un soupir que je me résous à lâcher le petit écran tactile et à retirer le casque ultra-futuriste et muni de senseurs sophistiqués qui m'offre une expérience quasi incroyable, celle d'une vie parallèle d'un réalisme hallucinant. En un mot, la réalité virtuelle. Enfin, le futur est à nos portes. Dépassés, les téléphones intelligents et la télévision 3D ! Je suis convaincue que ce petit appareil sera un jour considéré comme la plus merveilleuse invention du XXIe siècle. Rico me manque déjà… ainsi que tous ceux que je n'ai pas encore eu la chance de rencontrer !

# L’anniversaire de François

Le bar de l'hôtel Régence est un endroit aux bruits feutrés et à l'éclairage tamisé. Les fauteuils qui y sont éparpillés autour de petites tables sont presque excessivement rembourrés. Un jazz léger et discret flotte dans l'air et la clientèle qui le fréquente, surtout en début de soirée, se veut élégante et raffinée. Hommes d'affaires, professionnels, mais aussi une certaine faune branchée s'entassent autour de ces tables nappées d'un tissu délicat. C'était particulièrement le cas ce vendredi, au cours duquel on allait présenter un important défilé de mode à l'hôtel.

Je suis arrivé au bar à dix-sept heures quinze avec mon copain Stéphane. Il s'était joint à moi, prétextant qu'il voulait laisser la circulation se calmer un peu avant de retourner chez lui, à l'autre bout de la ville. Mais je n'étais pas naïf... il désirait seulement jeter un coup d'œil à mon adorable Gabrielle.

Après avoir pris place à l'une des rares petites tables de libres et commandé un martini, nous avons peu à peu commencé à nous détendre. L'endroit était bondé... Un bar d'hôtel typique avec tous ses clients trop bien habillés, jasant sans cesse sans écouter la moindre réplique de leur interlocuteur, trop occupés à se faire remarquer et à bien paraître au cas où quelqu'un d'influent ou d'intéressant les regarderait. Après avoir pris une gorgée de son cocktail, Stéphane m'a dit:

— Hé! François! T'es sûr que c'est ici que Gabrielle doit te rencontrer? Je ne vois pas grand-monde en jeans...

— Figure-toi qu'elle m'a promis, hier soir, de se «déguiser» pour l'occasion... Elle en connaît, d'ailleurs, les effets sur moi. C'est bien pour ça qu'elle a loué une chambre...

L'occasion en question n'était, en réalité, que mon anniversaire, mais Gabrielle a toujours su rendre ces journées merveilleuses... Elle attache beaucoup d'importance à ces petits événements, y employant tout son cœur et son imagination. Mon trente-quatrième printemps approchant, elle avait commencé à me harceler deux mois avant la date fatidique pour tenter de savoir ce qui me ferait plaisir.

— Toi... enveloppée de dentelle, avec de beaux bas et tes escarpins à talons hauts qui me rendent fou.

— Ça, tu l'auras de toute façon. Allez, réfléchis... Qu'est-ce qui te ferait vraiment plaisir?

— Surprends-moi!

Elle m'avait lancé un sourire énigmatique sans rien répondre; puis je n'en avais plus entendu parler. Elle avait même arrêté de mentionner mon anniversaire... au point où je me demandais si elle ne l'avait pas oublié.

La veille du grand jour, elle m'avait passé un coup de fil au bureau, m'informant qu'elle avait réservé une chambre à l'hôtel Régence, et que ce serait au chic restaurant de cet hôtel que nous mangerions. Puis, elle avait ajouté que si j'acceptais, elle retirerait tous mes vêtements et me «laverait» au champagne, qu'elle lécherait ensuite directement sur mon corps, jusqu'à ce qu'elle soit complètement ivre.

Croyait-elle vraiment devoir me demander une telle permission?

Elle m'a téléphoné de nouveau le jour de ma fête, alors que j'étais toujours au bureau.

— Je dois faire des courses toute la journée. À quelle heure comptais-tu te rendre à l'hôtel?

— Oh! Autour de dix-sept heures, dix-sept heures trente. Ça te va?

— Oui, bien sûr... mais j'ai bien peur d'être un peu retardée. Pourquoi est-ce qu'on ne se rejoindrait pas au bar de l'hôtel plutôt que dans la chambre? Je suis désolée, mon chéri, mais je ne sais pas quand j'aurai fini. Sûrement pas avant dix-huit heures trente. Je m'en veux tellement! J'aurais espéré pouvoir m'amuser un peu avec toi avant de descendre, mais ça ne marchera pas...

— Ce n'est pas grave. J'irai prendre un verre en t'attendant. Après tout, c'est mon anniversaire... Je pourrai peut-être en profiter pour voir s'il y a aussi des femmes abandonnées, à ce bar...

— Bon! J'ai compris! Je vais faire de mon mieux pour arriver tôt. S'il le faut, je t'arracherai des bras de toutes ces beautés esseulées qui n'attendent que toi...

— Sois douce!

— Promis. Je t'embrasse. À tout à l'heure!

C'est ainsi que je me suis retrouvé en compagnie de Stéphane, qui tentait de se pavaner devant quelques femmes plutôt séduisantes.

C'est d'ailleurs ce même Stéphane qui m'a permis de rencontrer Gabrielle, cette femme à qui j'ai laissé le soin de me surprendre. Il avait tenté de la conquérir avant moi, mais avait échoué lamentablement. Il ne m'a pas tenu rigueur de mon succès, bien qu'il ait encore un faible pour elle, ce qui explique qu'à la mention du «déguisement» qu'elle devait revêtir pour moi, il n'a plus du tout été pressé de partir.

Déjà dix-huit heures...

— Mais qu'est-ce qu'elle fait? Il se fait tard...

— Elle a dit qu'elle ne serait pas ici avant dix-huit heures trente. Écoute... Ce n'est pas facile, pour elle, de choisir entre ses deux seules robes...

La garde-robe de ma chère Gabrielle se compose en effet surtout de jeans, de camisoles et de chandails amples. Et ses pieds sont chaussés d'espadrilles ou, à la rigueur, de bottes à talons plats. Elle se maquille très rarement, de façon très discrète, et ne porte presque jamais d'escarpins à talons hauts, sauf quand il s'agit de me séduire. À l'occasion, et dans le seul but de me plaire, elle daigne porter de jolies tenues plus féminines. Elle n'en a pas beaucoup et c'est dommage... Mais elle sait que je n'y résiste pas. Toutefois, elle me fait toujours sentir qu'elle ne se sent pas très à l'aise dans ce qu'elle qualifie d'« artifices de femme ».

— Je suis certain que ça vaut le coup d'œil! s'est exclamé Stéphane. Elle est pas mal, Gabrielle, surtout quand...

Mais ses paroles sont restées en suspens. Pas seulement les siennes, d'ailleurs... Presque tous les hommes se sont subitement tus, moi compris. Et pour cause! Une femme comme on n'en voit qu'au cinéma ou dans ses rêves les plus secrets venait de faire son apparition, interrompant les conversations et attirant la convoitise de tous les mâles présents dans le bar.

Des cheveux roux flamboyants tombaient jusqu'à ses reins en une cascade bouillonnante. Elle portait une longue robe noire, moulante comme une seconde peau, fendue en haut de la cuisse, et elle était perchée sur d'incroyables chaussures noires aux vertigineux talons en verre. Ses ongles étaient peints d'un rouge écarlate similaire à celui de son rouge à lèvres. Elle ne portait qu'un seul bijou, un simple rang de perles autour de son long cou nacré, fragile, affolant. Il aurait été impossible de ne pas la regarder, de ne pas la désirer. Elle avait l'allure imperturbable et l'assurance éblouissante d'un mannequin. Son maquillage savant rehaussait à la perfection ses yeux en amande et ses fins sourcils, du même roux que sa chevelure. Même ses lunettes, dont la monture était très fine, ajoutaient un petit je-ne-sais-quoi de mystérieux à son regard. Ses yeux presque trop verts... et ses lèvres!

Stéphane a été le premier à reprendre possession de ses moyens. Il a péniblement avalé sa salive alors que j'étais toujours envoûté, suivant les moindres gestes de l'inconnue jusqu'au bar, où elle s'est installée, seule. J'ai cru vaguement l'avoir déjà vue quelque part. Mais où ? Je me serais souvenu, sans l'ombre d'un doute, d'une telle créature ! Après à peine trente secondes d'intense contemplation, je l'imaginais déjà sans cette robe, ne portant que ses chaussures meurtrières, ses bas de soie et ses lunettes. J'en avais des tiraillements gênants entre les jambes, qu'un sentiment de culpabilité insidieuse n'arrivait pas à calmer.

Je me suis donc forcé à penser à ma chérie. J'ai tenté d'imposer à mon esprit l'image de celle que je trouvais adorable même au lever, quand son visage était bouffi de sommeil. Celle que j'aimais trouver écrasée devant la télé quand je rentrais à la maison, trempée de sueur après une séance d'entraînement ou énervée au volant de la voiture. Je ne lui avais jamais été infidèle, sauf peut-être — et, alors, très rarement — quelques innocentes fois comme celle-ci, où je permettais à mon esprit de divaguer devant une jeune beauté. Quel homme pourrait affirmer que cela ne lui est jamais arrivé ? Ce serait mentir.

Stéphane devait avoir des pensées aussi perverses que les miennes, sans la culpabilité, toutefois; il a donc approché sa chaise de la table en murmurant :

— Ça ne devrait pas être permis... Pfff! Je sais que tu es amoureux, mais qu'est-ce que tu ferais si une telle femme te voulait, toi ?

— Oh ! Je ne sais pas...

J'ai avalé péniblement ma salive, avant de répondre.

— De toute façon, je ne suis sûrement pas son genre, et en plus...

La sonnerie de mon cellulaire a soudain retenti.

— Ce doit être Gabrielle... Sauvé par la cloche !

Je me suis levé d'un bond pour répondre loin des oreilles indiscrètes. Ce n'était cependant pas Gabrielle, mais plutôt sa copine Martine qui m'informait que ma douce était en route et qu'elle me demandait de patienter encore un peu. Elle venait de partir, mais avec la circulation, elle n'arriverait pas avant une heure. Et puis, elle avait oublié de charger la pile de son cellulaire, alors il était à plat... J'ai été quelque peu déçu par cette nouvelle, mais cette déception s'évanouit dès que je me suis rendu compte que la rousse me lançait ce qui me semblait être un regard intéressé. Non! Ça devait sûrement être mon imagination! Je suis retourné m'asseoir en essayant de ne pas trop rougir.

— Tu veux un autre verre? a demandé Stéphane.

— Oui.

— C'était Gabrielle?

— Non, Martine.

Je lui ai résumé la situation. Il a trouvé tout cela dommage, mais m'a assuré qu'il voulait bien, en gage d'amitié, me tenir encore un peu compagnie. Je me suis alors douté que l'amitié avait très peu à voir avec tout cela.

Un serveur s'est approché lentement, à pas feutrés, de notre table.

— Monsieur, la dame rousse qui est assise au bar vous offre ce verre.

— Merci, mais j'attends ma compagne...

— C'est bien ce qu'elle a pensé en vous voyant au téléphone, mais elle vous prie de l'accepter quand même.

Le serveur arborait un petit air entendu. Il ne se serait probablement pas fait prier, lui. Pour ne pas blesser la belle inconnue, et seulement pour cela, j'ai accepté ce verre.

J'ai tenté de croiser le regard de cette femme de rêve, afin de lui adresser un salut amical. Mais elle était en pleine conversation très animée avec un homme et semblait intéressée. Stéphane, lui, était dépité.

— Pourquoi est-ce toujours toi? Toi qui as une copine adorable, alors que moi, je n'ai que ma main et mon oreiller? Pourquoi?

Dix-huit heures trente...

La rousse était toujours en compagnie du même type, qui semblait maintenant un peu éméché. Visiblement, il n'avait qu'une idée en tête. Devais-je aller la remercier, ne serait-ce que pour la sauver d'une situation embêtante? Je pouvais aussi demander au serveur de lui offrir un verre. Mais avec ma chance habituelle, Gabrielle arriverait au même moment et j'aurais l'air d'un parfait imbécile. Stéphane m'a extirpé de ma rêverie en me disant qu'il devait partir. Il m'a fait promettre de tout lui raconter, si jamais je changeais radicalement mes projets. Je savais qu'il songeait à la rousse en disant cela.

— C'est pas l'envie qui manque... mais je vais encore accorder à Gabrielle trente minutes.

J'étais un peu fâché. Elle me faisait poireauter ici, le jour de mon anniversaire, après tant de promesses. On aurait dit qu'elle le faisait exprès, pour me soumettre à d'inavouables tentations.

Une fois Stéphane parti, j'ai pu admirer la belle rousse tout à mon aise. J'attendais qu'elle regarde dans ma direction pour lui faire un petit signe de remerciement de la tête. L'homme qui l'avait accostée est enfin parti. Elle s'est alors retournée vers moi, mais sans me regarder. Son regard semblait perdu au loin, dans un autre bar, une autre ville. Elle s'est levée, a jeté un coup d'œil discret autour d'elle comme si elle cherchait une caméra ou l'angle parfait pour prendre une pose. De mon fauteuil, je devinais la fente de sa robe s'écarter davantage, jusqu'à révéler la bordure en dentelle de ses bas. Une de ses chaussures pendait au bout de ses orteils et se balançait avec un mouvement hypnotisant. Sans ciller, mon regard est remonté le long des bas, puis de sa robe. Jusqu'à ce qu'il s'arrête, fasciné, sur la courbe accentuée d'un de ses seins, que son bras poussait nonchalamment vers le haut, le laissant presque s'échapper de l'encolure du vêtement. Une mèche de ses longs cheveux se faufilait entre ses seins.

Mon cerveau me torturait, me projetant des images de cette mèche enroulée autour de mes doigts, entre mes lèvres. Une femme avait-elle le droit d'avoir de tels cheveux? Mes sens étaient aiguisés et sélectifs. Je n'entendais plus le brouhaha du bar, seulement le battement de mon sang qui se dirigeait de mes tempes vers mon entrejambe. Je ne voyais rien d'autre que cette apparition sublime. Je l'imaginais flottant au-dessus de moi, sur un immense lit de satin. Cette crinière rousse dans mes yeux, dans ma bouche… Oh! merde, j'étais dur comme un cheval…

Encore une fois, j'ai imposé à mon esprit l'image de Gabrielle. Ma douce et blonde Gabrielle, dont les cheveux courts lui donnaient un petit air juvénile. Ma petite Gabrielle, si exceptionnelle, aux yeux bleus superbes. Aux yeux si éloquents qu'il ne lui était souvent pas nécessaire de parler, surtout au lit.

Rouge de confusion, j'ai détourné mon regard. L'inconnue venait de lire le désir sur mon visage… Et moi qui n'avais pas encore prêté attention au sien, étant trop captivé par son corps. Ce rouge sur des lèvres que je devinais charnues comme celles de Gabrielle, ces lunettes lui donnant un air à la fois sérieux et coquin… Tout cela était bon à rendre un homme fou. Je ne cessais de me répéter: «Arrive, Gabrielle, que je puisse t'attaquer comme un animal! Arrive vite!»

J'ai risqué un autre regard dans sa direction. Elle s'est levée de son tabouret comme pour parler discrètement au barman, en appuyant ses coudes sur le bar. Elle lui a murmuré quelque chose et a hoché innocemment la tête dans ma direction. Mais ce n'étaient pas ses yeux que je regardais… Dans cette position, ses seins frôlaient et caressaient le marbre du bar. Elle en était tout à fait consciente et s'est balancée lentement, lascivement, comme lors d'une danse langoureuse, jusqu'à ce que leurs pointes jaillissent. Elle a penché la tête sur son épaule et a fermé les yeux un moment, sans interrompre son petit jeu. Ses longs doigts ont alors saisi un glaçon, qu'elle a porté délicatement à ses lèvres, comme un baiser. S'y est déposée ensuite sa petite langue rose, fraîche, enivrante. La belle inconnue a enfin laissé fondre le glaçon là, sur sa langue et sur ses doigts, qu'elle a voluptueusement léchés en me regardant droit dans les yeux.

C'en était trop ! Je devais absolument, impérativement sortir d'ici ! Il en allait de mon amour pour Gabrielle et de mon contrôle. J'avais la certitude qu'elle avait fait tout ce manège uniquement pour moi. Je me sentais comme dans un film projeté au ralenti, dans lequel le décor entier aurait disparu pour ne laisser que cette seule vision de femme fatale. Elle me manipulait comme un pantin... Elle en faisait presque trop, mais de manière si discrète que j'étais le seul à pouvoir suivre ses gestes.

C'était une véritable torture, mais j'étais pris au piège. Mon corps m'avait, une fois de plus, trahi : j'étais plus dur que jamais. Je ne pouvais tout simplement pas me lever, là, tout de suite. Je respirais profondément, tournant la tête vers l'entrée du bar dans l'espoir de voir enfin arriver celle qui m'avait mis dans un tel pétrin. Mais la situation s'envenimait encore... Voilà que la belle rousse s'avançait vers moi ! Je suppliai mentalement Gabrielle d'arriver ou peut-être pas, après tout, je n'étais plus en état de le savoir, mais rien n'y fit. Et le bar qui commençait à se vider... La jeune femme s'est approchée de ma table, gracieuse malgré ses chaussures impossibles, sa robe laissant apparaître ses longues jambes soyeuses à chaque pas. Et le bout de ses seins, qui semblaient pointus au point de déchirer la robe. Et ses ongles, rouges et longs, sur le verre...

Elle s'est glissée derrière ma chaise et m'a murmuré à l'oreille :

— Votre compagne n'est toujours pas arrivée... Puis-je me joindre à vous ?

Voix basse et douce, avec une pointe d'accent anglais. Parfum épicé, suave... Nouveau frémissement dans mes pantalons.

Je me suis levé à moitié et ai bafouillé :

— Elle ne va pas tarder. Je suis sûr qu'elle va arriver d'une minute à l'autre...

— Ne vous levez pas. Je ne veux pas vous mettre dans l'embarras. Une autre fois, peut-être...

— Euh... oui.... Euh, peut-être...

Elle a alors contourné la table, pour se tenir devant moi dans toute sa splendeur, et a enlevé lentement ses lunettes. Elle me regardait en même temps en se mordillant la lèvre inférieure, comme le fait Gabrielle, et faisait danser un petit sourire narquois sur ses lèvres peintes. J'ai pu à ce moment-là voir des détails qui m'avaient échappé jusqu'alors. Et là, très lentement, le doute s'est insinué en moi. La révélation n'a d'ailleurs pas tardé à s'imposer à mon esprit paralysé de désir. Je venais enfin de tout comprendre ! L'inconnue portait des lentilles colorées et ses sourcils étaient peints en roux, de la même couleur que la perruque qu'elle portait. Je ne l'avais jamais vue mettre tant de maquillage, de rouge à lèvres, mais c'était bien elle ! C'était Gabrielle !

— Tu veux continuer à jouer ?

— Gabrielle, c'est pas possible !

— Tu aimes, semble-t-il. Alors, on continue ?

— Heu... oui. Mais je ne peux pas me lever !

— Pourquoi voudrais-tu te lever ?

Sur ces mots, elle s'est assise en face de moi en remettant ses lunettes. Elle a appuyé ses coudes sur la table et a recommencé à caresser du bout des seins la nappe recouvrant la table. J'étais fasciné, ébahi, bouleversé.

— Comment t'as fait ?

— Dis, tu joues ou pas ?

— OK. M...Merci pour le verre, tout à l'heure.

— Ce n'est rien. Je suis de passage ici, et je n'aime pas voir un bel homme attendre seul. Je veux simplement apprendre à vous connaître en attendant que votre compagne arrive.

J'ai senti quelque chose glisser le long de ma jambe. Gabrielle s'est adossée confortablement au fauteuil, a passé sa langue sur ses lèvres comme une petite chatte repue, et m'a souri.

J'étais sous le choc. Je n'en revenais pas! La transformation était totale, complète! Mais l'effet qu'elle avait sur moi, physiquement comme psychologiquement, était le même que lorsqu'elle était une belle inconnue rousse. À l'exception du sentiment de culpabilité qui, miraculeusement, venait de s'évanouir.

— Vous n'êtes pas d'ici. Je ne vous ai jamais vue...

— Non, je suis américaine.

Son pied ne cessait de monter encore plus haut.

— Je suis ici pour le défilé de mode.

— Vous êtes mannequin?

— Photographe.

Je ne pouvais plus rien dire. Ses deux pieds étaient maintenant sur ma queue, gonflée à l'extrême. Ils la massaient et la pétrissaient doucement, se faisant urgents, puis doux. Si elle n'arrêtait pas très bientôt son manège, je sentais — et elle en était tout à fait consciente — que j'allais jouir dans mon pantalon comme un adolescent. Des gouttes de sueur coulaient le long de ma colonne vertébrale, et je m'inquiétais de mon voisinage. Mais toutes les tables alentour étaient munies de longues nappes tombant jusqu'au sol. Gabrielle avait vraiment tout planifié... Retirant un de ses pieds, elle m'a enfin laissé du répit. Elle tenait maintenant son verre d'une main paresseuse, tandis que l'autre avait négligemment disparu sous la table. Elle a alors lâché son verre et m'a regardé un moment, immobile, puis s'est soulevée légèrement et s'est penchée vers moi.

— Tiens, j'ai quelque chose pour toi.

Elle m'a tendu une culotte minuscule qu'elle avait réussi à

retirer sous la table par quelque stratagème subtil dont seules les femmes ont le secret. Je l'ai prise et l'ai portée discrètement à mon visage. Son parfum, mélangé à l'odeur musquée de son corps, m'a fait frémir.

Gabrielle m'a tendu la main, que j'ai saisie pour l'embrasser. J'y ai goûté la moiteur familière de son sexe et en ai léché avidement le parfum. Elle a ensuite retiré sa main de la mienne pour faire courir langoureusement sa langue entre ses doigts. Puis, ses doigts ont glissé le long de sa gorge, sur sa poitrine, entre ses seins. D'un geste délicat, tout en douceur, elle a par la suite délibérément fait tomber mon sous-verre par terre.

— Tu devrais le ramasser, a-t-elle murmuré.

Je me suis penché et ai risqué un coup d'œil sous la table. Elle avait fait remonter sa robe sur ses hanches, afin de libérer son sexe moite. L'une de ses mains se baladait sur la bordure d'un bas, tandis que l'autre caressait son sexe, exposant ses lèvres gonflées de plaisir. Je contemplais avec fascination ses ongles écarlates. Je la voyais devenir de plus en plus excitée, humide, chaude.

Je n'en pouvais plus et ai bredouillé :

— Viens, nous partons.

— Je n'ai pas fini mon verre.

— Je n'en peux plus, viens.

— C'est moi qui décide. D'ailleurs, nous n'avons pas encore mangé.

— On mangera plus tard.

— Non. J'ai fait venir un taxi pour nous amener au restaurant. J'ai changé d'avis pour celui de l'hôtel.

Devant ma mine déconfite, elle a eu pitié de moi et a fini par accepter.

Elle m'a entraîné hors du bar, vers la sortie de l'hôtel. Une longue limousine noire nous y attendait. Gabrielle m'a fait monter à l'arrière du véhicule et a ordonné au chauffeur de démarrer. La cloison nous séparant de lui a émis un petit sifflement feutré en s'élevant, nous isolant totalement du reste du monde.

— Où allons-nous ? ai-je demandé.

— Ne t'en fais pas. Je ne crois pas que tu t'en préoccupes très longtemps.

Elle a retiré lentement sa robe. Et seulement sa robe… Elle ne portait plus qu'un bustier de dentelle noire, des bas en soie sur ses cuisses, ses chaussures à talons aiguilles et son collier de perles. Le champagne étant de circonstance, aussi a-t-elle fait sauter le bouchon d'une bouteille d'une main étonnamment habile et a rempli un seul verre, qu'elle m'a ordonné de boire d'un ton qui ne tolérait aucune discussion. J'ai alors vu apparaître des profondeurs de son sac à main une écharpe en soie et ai accepté de bon gré qu'elle attache mes mains à une poignée fixée à la porte.

— C'est juste pour t'agacer, m'a-t-elle assuré. Joyeux anniversaire, François !

Elle a de nouveau rempli le verre, a pris une gorgée de champagne dans sa bouche et l'a versée doucement dans la mienne. Le nectar, tiédi, avait un petit goût de Gabrielle. Elle a ensuite léché les quelques gouttes qui glissaient sur mon menton et m'a embrassé fougueusement, presque rageusement, en dardant sa langue dans ma bouche, sur mon visage et mon cou. Je l'ai vue verser du champagne sur ses seins et le lécher, un petit sourire coquin au coin des lèvres.

Je ne pouvais rien dire, rien faire d'autre que la laisser se donner en spectacle… et je n'avais aucunement l'intention de m'en plaindre ! Gabrielle a fait couler un peu plus de champagne sur son corps et s'est placée devant moi pour que je puisse goûter le mélange sublime et incomparable du vin et de sa peau. Chaque fois qu'elle en avalait un peu, elle m'en faisait boire aussi, les bulles se mélangeant à notre salive.

Elle a ensuite pris place sur le siège en face du mien et a recommencé à se caresser lentement. Ses doigts aux ongles peints écartaient ses lèvres, roses et tendres, pour atteindre leur but plus rapidement et, sans aucun doute, pour me torturer davantage. J'aurais tout donné pour pouvoir la toucher, l'embrasser, la faire jouir avec ma langue, mes doigts. Cette femme qui était mienne tout en étant une autre... Elle s'est caressée encore quelques minutes avant de s'arrêter, le souffle court, se sentant trop près de l'extase.

Elle s'est enfin approchée lascivement de moi, a déboutonné ma chemise avec une lenteur insoutenable, puis elle a retiré mon pantalon en m'effleurant du bout des ongles, m'arrachant de petits frissons.

— Je veux te voir. Je veux te voir impatient, dur, prêt.

Et pour l'être, impatient, je l'étais!

Elle ne m'a cependant pas accordé le plaisir anticipé. Elle a plutôt recommencé à se caresser en versant encore plus de champagne entre ses seins, sur son ventre, sur son sexe. Elle a retiré son collier de perles et, en passant un bras derrière son corps, l'a fait glisser au bas de son ventre, entre ses jambes et ses lèvres humides. Lentement, d'abord, puis plus rapidement. J'ai bientôt pu voir, émerveillé, les perles luire de sa jouissance d'un éclat irrésistible. Elle les a ensuite enroulées autour de son doigt et les a enfouies en elle, d'un rythme mesuré qui l'a fait frissonner de plaisir. J'aurais tant voulu être à la place de ces perles et glisser comme elles au plus profond de son corps.

Je ne savais plus où regarder. Ces caresses intimes me laissaient pantelant, et le spectacle étrange de ses longs cheveux roux qui lui caressaient les seins, le cou et le ventre m'avait surpris et enchanté. Je n'avais jamais été aussi excité, même lors de mes premières expériences amoureuses, me semblait-il. Gabrielle me regardait la contempler avec satisfaction, me savait prêt à exploser et m'a enfin supplié d'entrer en elle. Mais j'étais toujours attaché et elle savourait son avantage. Elle se massait de plus en plus vite, de plus en plus intensément, son sexe luisant de champagne et d'excitation. Ses yeux mi-fermés et sa bouche pulpeuse se sont crispés alors qu'elle plongeait tout entière dans un vibrant orgasme. J'ai pu voir son corps réagir, ses muscles se contracter et son visage se tordre de plaisir...

Elle s'est ensuite relevée, est venue défaire mes liens et m'a enfourché comme une panthère, alors que nous filions à vive allure sur l'autoroute. Ses longs cheveux roux tombaient dans mes yeux et ma bouche, comme je me l'étais imaginé. Je faisais l'amour à Gabrielle et à une Américaine en même temps! C'était incroyable, indescriptible!

Nous avons fait l'amour comme des déchaînés, comme au début de notre histoire et mieux encore. J'ai eu de la peine à me retenir de jouir trop tôt. Quelle étrange sensation! J'étais avec une femme que je connaissais mieux que personne dans ses plus intimes détails, mais cette femme était aussi une étrangère. Je regardais les yeux bleus de Gabrielle, mais les voyais aussi transformés en yeux de chats, verts comme des émeraudes. Je caressais le corps de ma Gabrielle, mais ces longs cheveux roux m'étaient inconnus. Quand elle m'a finalement donné la permission de jouir, je n'ai pu retenir un cri. De jouissance, de délire; mais aussi de gratitude. Parce que c'était bien elle, ma Gabrielle, et qu'elle venait de me faire un cadeau inestimable.

En arrivant à la maison, je l'ai prise dans mes bras et l'ai embrassée avec une passion qui était loin de traduire ce que je ressentais. Elle a murmuré à mon oreille:

— Joyeux anniversaire, mon amour...

— Gabrielle, je t'aime. Mais j'ai une faveur à te demander: tu crois que mademoiselle l'Américaine peut partir maintenant?

J'aimerais bien faire l'amour à la femme de ma vie. Je me sens coupable de lui avoir été infidèle...

— Je reviens dans une minute.

Elle s'est dirigée vers la chambre à coucher, me laissant admirer la belle inconnue rousse une dernière fois, puis en est ressortie quelques minutes plus tard, portant sa descente de bain favorite. C'était de nouveau ma Gabrielle. Ma blonde, douce, généreuse et adorable Gabrielle. En la voyant ainsi, démaquillée et toute menue dans son vêtement ample, je l'ai désirée avec une telle force que nous ne nous sommes même pas rendus jusqu'à la chambre. La reverrai-je un jour, cette mystérieuse inconnue? Peut-être que oui, peut-être que non. Qui sait? Peut-être que Gabrielle a d'autres belles femmes à me présenter. Comme tout homme normalement constitué, je suis partant!

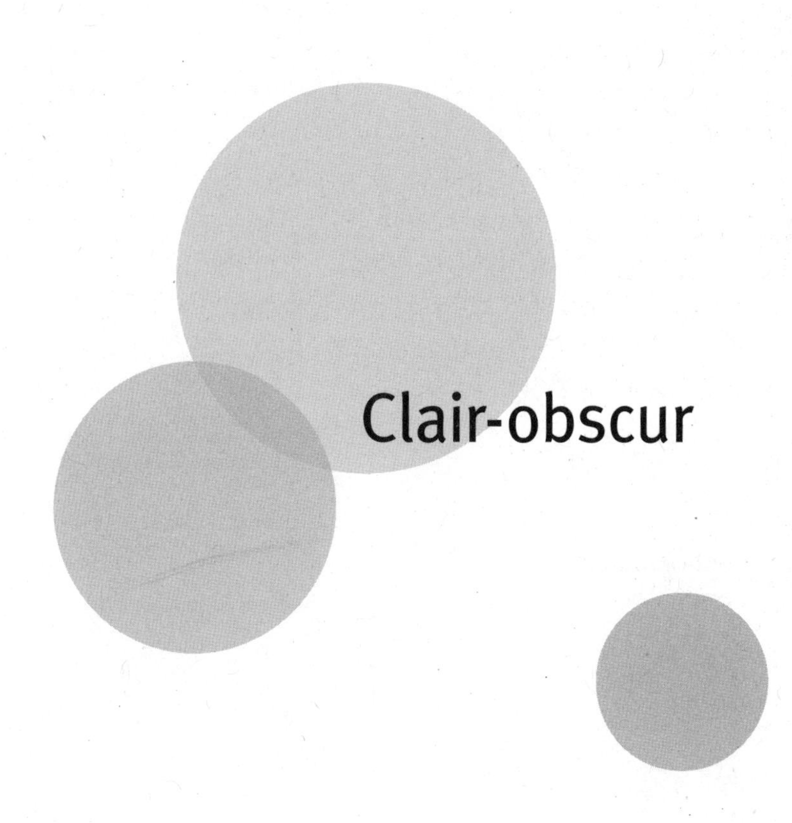

# Clair-obscur

Je vis, depuis près d'un mois, dans une demi-réalité où tout est permis, où tous les scénarios invraisemblables que mon imagination me souffle deviennent possibles. L'attente est presque délicieusement insoutenable...

Je m'explique. Je suis ce que je qualifie moi-même de «vieille fille». Enfin, disons que depuis que Charles m'a quittée il y a presque deux ans, je suis seule. Entendons-nous bien: quand je dis seule, c'est vraiment seule. Je suis sortie avec quelques hommes comme ça pour prendre un verre, mais sans plus. Le désert. Par conséquent, ma non-vie sexuelle n'existe que dans ma tête et avec l'aide précieuse de quelques accessoires malheureusement insignifiants, même si je suis harcelée de fantasmes de plus en plus précis depuis quelque temps. Je n'ai pourtant rien fait pour qu'il en soit ainsi. Je n'ai simplement rencontré aucun homme, depuis ma rupture, qui m'ait donné envie d'essayer, une fois encore, d'accepter les nombreux compromis engendrés par une relation de couple et d'avaler les multiples promesses et les déceptions qui les accompagnent inévitablement.

Mes amis et contacts ont bien tenté de me faire connaître des hommes qu'ils jugeaient intéressants, mais en vain... Après quelques tentatives tantôt cocasses, tantôt tragiques, j'ai renoncé à ces rencontres arrangées sans aucun regret. Et voilà qu'un beau jour, contre toute attente, IL est entré dans ma vie.

Je m'explique, une fois de plus. Renée, une de mes bonnes

amies, est artiste peintre. Elle a présenté, le mois dernier, sa première exposition d'envergure dans une galerie renommée. Et j'ai décidé sur un coup de tête de lui acheter trois toiles, prétextant qu'il valait mieux les acheter tout de suite avant qu'elles ne deviennent hors de prix. Elle m'a alors demandé la permission de les exposer à la galerie quand même et de les faire livrer chez moi un peu plus tard, ce que j'ai très volontiers accepté. Ces tableaux sont en vérité magnifiques et représentent des couples faisant l'amour. Ai-je vraiment besoin de tourner ainsi le fer dans la plaie? Enfin... ces amoureux enlacés baignent dans des jets de couleurs vives, presque violentes. Et leurs corps, aux lignes et aux courbes vaguement esquissées, dégagent à la fois de la tendresse, de la passion et de l'intensité.

Deux jours après la fin de l'exposition, ma copine m'a téléphoné pour savoir à quel moment je désirais recevoir les toiles. Nous nous sommes entendues pour le soir même, et elle est arrivée à l'heure convenue, en SA compagnie.

En ouvrant ma porte ce soir-là, j'étais loin de me douter que ma vie était sur le point de se transformer radicalement. Renée était cachée derrière un de ses tableaux, et Daniel se tenait devant elle avec un petit air à la fois timide et charmeur qui m'a séduit dès le premier regard. Les présentations ont été brèves, et je me suis surprise à rougir comme une idiote.

J'ai entraîné discrètement Renée dans la cuisine pour m'informer davantage au sujet de cette apparition inattendue, laissant à Daniel le soin de tout déballer. Renée est l'une de mes seules copines qui n'ait pas tenté de jouer les entremetteuses avec moi. Elle m'a avoué spontanément qu'elle n'y avait pas songé jusqu'à ce qu'elle se souvienne que son cousin, qu'elle voyait assez régulièrement, était dans la même situation que moi.

— Tu ne lui as pas dit que tu l'avais amené pour ça, au moins!

— Mais non! Il m'a proposé de m'aider à ramener mes toiles,

et quand je lui ai dit que je devais en livrer quelques-unes, il s'est empressé d'insister...

— Hum! En tout cas, il est très mignon... C'est quoi, son histoire?

— Oh! Il a été marié pendant quatre ans. Un jour, sa femme l'a quitté pour un autre. Ça fait déjà un bout de temps... Il est tout à fait guéri. Mais il est tellement timide!

— Adorable, tu veux dire! Il doit bien avoir quelque chose qui cloche, non?

— Pas que je sache...

Les choses en sont restées là. Nous avons passé la soirée à parler de tout et de rien entre deux gorgées de café. J'avais de plus en plus l'intention de demander à Renée de me refiler le numéro de téléphone de son beau cousin. S'il était aussi timide qu'elle le prétendait, il ne ferait probablement aucune démarche en ce sens. J'avais encore foi en mes charmes, mais je me promettais quand même de m'accorder quelques jours pour y penser.

Je n'ai cependant pas eu le loisir de réfléchir très longtemps à ce que j'allais faire. Daniel m'a téléphoné le soir même pour m'inviter à aller prendre un verre, ce que je me suis évidemment empressée d'accepter... et nous nous voyons tous les soirs depuis lors. Cela fera un mois demain. Un mois de discussions fascinantes, de balades et de visites exaltantes, de fous rires inextinguibles, de confidences rougissantes et de baisers enflammés. Et seulement de baisers enflammés...

J'avoue que je trouvais cela frustrant et que mon corps réclamait bien plus que des baisers, aussi incendiaires étaient-ils. Mais nous nous sommes lancés dans une étrange aventure. Il s'agit en fait d'un pari qui m'a semblé de prime abord stupide et sadique, mais qui, après réflexion, est devenu irrésistible. L'une des plus grandes craintes que nous avions l'un comme l'autre était que notre première relation sexuelle fût décevante. Pas parce que nous n'étions pas attirés l'un par l'autre, mais simplement parce que comme c'est souvent le cas, la peur de décevoir l'autre rend maladroit et timide. Or, il est très rapidement devenu clair que nous avions envie d'une relation sérieuse et exclusive. Nous voulions de ce fait être certains de ressentir tous deux suffisamment de désir pour que, le moment venu, nos corps se laissent aller sans que nos têtes interviennent. Nous avons donc décidé d'attendre un mois avant de faire l'amour. Quatre semaines. Trente jours.

Que de belles paroles! Quoi qu'il en soit, nous voulons que cette première nuit ensemble soit parfaite. Daniel m'a mise au défi. Il prétend que si je daigne lui faire quelques confidences fragmentaires et de vagues sous-entendus, il me devinera suffisamment pour pouvoir m'offrir l'un de mes fantasmes, servi de façon inoubliable. J'ai maintes fois essayé de lui faire comprendre qu'il n'était pas nécessaire de chercher très loin... Mais Monsieur se targue de pouvoir découvrir mes désirs intimes, et je ne peux laisser passer un défi aussi amusant. Résultat: je me morfonds à essayer d'anticiper ce qu'il mettra en scène pour moi. Évidemment, il ne me permet pas d'être très explicite, car il veut réellement me surprendre, mais il est persuadé d'être sur la bonne voie.

Demain, c'est le grand jour. Pour être bien certain de me torturer jusqu'à la dernière minute, il m'a même interdit de me caresser et d'essayer de le voir ce soir.

Tout ce qu'il m'est permis de faire, c'est de rêver. Ce corps que je peux à peine toucher du bout des doigts sera à moi dans moins de vingt-quatre heures. Je n'ai jamais vu Daniel nu dans toute sa splendeur et je me l'imagine, essayant tant bien que mal de ne pas trop l'idéaliser. Mon futur amant est plutôt mince et me dépasse d'une bonne tête. Il a l'allure d'un étudiant, avec son air juvénile et ses jeans trop grands. Il doit porter de petites lunettes pour lire. Les mettra-t-il au lit? Non, je ne le crois pas. A-t-il les jambes musclées ? poilues ? Ses bras et ses épaules me paraissent solides, sans être exagérément développés. Sa taille est plutôt fine et ses hanches étroites. D'après ce que j'ai pu constater, ses fesses semblent plutôt petites, rondes et fermes.

Pour ce qui est de son membre, je n'ai pas eu le droit d'y toucher. Tout ce que j'ai pu sentir, en me serrant contre mon amoureux, c'est que cette extension à sa personne réagissait très bien à ma présence...

Je suis à la fois excitée et terriblement anxieuse. Et s'il n'était pas à la hauteur de mes attentes ? Je me souviens lui avoir confié que j'avais peut-être des fantasmes un peu plus «piquants» que certaines personnes; du moins, c'est ce que je me plais à penser, sans toutefois exagérer. Par «piquants», je veux dire que j'ai toujours préféré un décor différent d'une chambre à coucher et que j'ai une petite tendance exhibitionniste à laquelle je n'ai jamais vraiment eu le loisir ou l'audace de laisser libre cours. J'ai toujours été déchirée entre le plaisir d'exciter le plus grand nombre possible d'individus en même temps et celui de demeurer inaccessible. Pourtant, les orgies ne m'attirent pas et je tiens à ma réputation. Je rêve en fait de pouvoir m'exposer, me montrer sensuelle sans réserve, mais pas devant des gens que je connais ou que je pourrais croiser dans la rue.

C'est bizarre. Ce côté exhibitionniste de ma personne, je ne pourrai probablement jamais le satisfaire, ce dont l'autre côté, le puritain, est bien heureux. Je crois bien que toute femme rêve d'être désirée par plusieurs hommes, de les faire bander et de les réduire à l'état d'êtres pantelants, esclaves du désir de leur maîtresse. Mais je ne pense pas que beaucoup de mes semblables souhaitent endosser tous les jours le rôle de la salope...

Toujours est-il que j'en ai glissé un mot à Daniel. Il m'a tout de suite avoué que sa grande timidité — aussi charmante que paralysante — l'empêcherait de même concevoir ce genre de fantasme. Se sentir désirable, oui, mais devant une foule? Ça, non! D'après ce que j'ai cru comprendre, son fantasme à lui est banal ou, du moins, commun: il rêve de se faire accoster par deux amazones, jumelles de préférence, qui l'entraîneraient dans une folle nuit d'amour à trois. Je lui ai dit que ce n'était pas impossible à réaliser, mais que ça devrait se faire sans moi, puisque je n'ai pas de jumelle... Il rêve aussi de regarder deux femmes faire l'amour. Il m'a d'ailleurs demandé si j'avais déjà été attirée par quelqu'un du même sexe que moi. Quand je lui ai répondu par la négative, il a pris une mine déçue, un peu à la blague.

De mon côté, je ne lui ai rien promis. C'était son idée à lui, de vouloir m'offrir quelque chose de remarquable. Cependant, au point où j'en suis, je serais très heureuse de le voir arriver chez moi à l'instant même, de pouvoir lui arracher tous ses vêtements et de faire l'amour comme tout le monde. Dans mon lit, sur mon sofa ou sur le sol... je n'en ai rien à faire. Je ne tiens plus en place, c'est tout!

Il est près de minuit quand la sonnerie insistante du téléphone interrompt mes rêveries. C'est Daniel...

— Comment ça va?

— Impatiente...

— Tu as confiance en moi?

— Oui, mais je suis un peu nerveuse...

— Nerveuse? Pourquoi?

— On aurait peut-être dû attendre de se connaître un peu mieux... Et si ça ne marchait pas? Si on était tous les deux déçus? Tu sais, je n'ai pas besoin de vivre mes fantasmes pour avoir envie de toi. Ce que je ressens pour toi est plus profond. J'apprécie ce que tu veux faire, mais si on se trompait?

— Ne t'inquiète pas. Tu sais, je suis maintenant certain de vouloir vivre plein de choses avec toi, et ce, peu importe l'issue de notre première nuit ensemble. On a tant de choses à découvrir! Dis donc, mademoiselle l'intrépide, deviendrais-tu peureuse?

— Non, pas du tout. Je ressens seulement un mélange de curiosité et de nervosité, c'est tout. Je ne sais pas ce que tu prépares, mais je veux t'avoir ici, maintenant, avec moi et dans mon lit. Je n'en peux plus d'attendre! Je veux être dans tes bras, coller mon corps contre le tien, t'embrasser des pieds à la tête...

— Arrête, je bande... Qu'est-ce que tu fais, là, maintenant?

— Je suis dans le salon. J'essayais de regarder la télé pour ne pas penser à toi...

— Déshabille-toi.

— Quoi? Tu plaisantes?

— Non. Déshabille-toi. Tu portes une blouse?

— Oui...

— Alors, vas-y. Défais-en le premier bouton. Puis, les autres, lentement. Imagine-toi que c'est moi qui le fais...

Où est donc passée la grande timidité qui l'habitait? De toute évidence, la distance établie par le téléphone l'en préserve et c'est tant mieux! Je défais donc lentement les boutons de ma blouse. J'imagine que Daniel est devant moi et plonge son regard bleu dans le mien, m'embrasse gentiment, glisse lentement ses doigts entre mes seins, sous la dentelle de mon soutien-gorge. De doux frissons me parcourent l'échine.

— Ça y est? Tu l'as enlevée? Maintenant, est-ce que tu portes une jupe?

— Oui.

— Et des bas?

— Oui, comme d'habitude.

— Alors, pose ta main sur ta cuisse en imaginant que c'est la mienne. Remonte tout doucement le long de ta jambe, glisse-la sous ta jupe et passe tes doigts sous la bordure de tes bas en laissant tes ongles égratigner un peu ta peau.

J'obéis. Je suis enveloppée dans une bulle de chaleur. Je sens sa main qui déboutonne ma jupe. Je me soulève pour la faire glisser au sol, puis je me réinstalle sur le sofa, le téléphone au creux de mon épaule, maintenant nue. J'attends la suite.

— Andrea, tu es là ?

— Je... je suis là. J'ai retiré ma jupe. Il ne reste que mes bas, mon soutien-gorge et une toute petite culotte qui devient chaude...

— Attends, je me débarrasse de mon pantalon. Andrea, mon sexe est dur, énorme. Je suis prêt pour toi. Maintenant, enlève ton soutien-gorge et pince tes seins. Je veux que tes mamelons soient durs, gonflés. Je veux les sentir se tendre sous mes doigts. Vas-y.

Je n'ai pas besoin de les pincer. Mes seins sont tendus à l'excès et pointent vers le ciel comme une offrande.

— Andrea, je les vois. Je les sens dans ma bouche... ils sont délicieux ! Pousse ta culotte sur le côté. Montre-moi ce que j'attends depuis si longtemps. Écarte tes lèvres, imagine ma langue sur ta cuisse. Elle monte ensuite se perdre en toi...

— Oh, Daniel... j'ai chaud, je te veux ! Laisse ce téléphone tout de suite et viens me rejoindre. Je suis toute chaude, toute moite. Je vais laisser mes doigts faire ce qu'ils ont envie de faire en t'attendant...

— Non, Andrea ! Tu l'as promis ! Ça fait partie du jeu. Tu peux te rhabiller, maintenant. Je voulais juste savoir si tu étais prête. Tu peux aller dormir et, demain, je te promets que tu ne regretteras rien.

— Daniel, tu blagues ou quoi ? Je sais ce que j'ai promis, mais tu ne m'aides pas beaucoup !

— Allez, fais-le pour moi. Cela n'en sera que meilleur. Fais de beaux rêves...

Puis, il raccroche. Je reste là, le souffle court, la gorge sèche et le sexe en feu. Il veut que je m'arrête! Je me concentre sur le vieux dicton qui veut que l'attente exacerbe le plaisir, jusqu'à ce qu'il hante mes pensées comme une mauvaise chanson... Quelle parfaite, monstrueuse, totale idiotie!

• • •

Enfin... C'est aujourd'hui le grand jour. Je le passe dans un état second. Chaque heure qui s'égrène lamentablement accentue la lourdeur que je ressens au bas-ventre et les petits frissons d'anticipation qui me chatouillent chaque fois que je pense à Daniel. La journée me semble interminable, et je regarde les aiguilles de l'horloge avancer péniblement en me demandant ce que je vais porter ce soir. Tout ce que m'a dit Daniel, ce matin, en me donnant rendez-vous, c'est qu'il veut que je porte mes sous-vêtements les plus suggestifs, ceux dans lesquels je me trouve la plus attirante, désirable. Ce que je mettrai par-dessus n'a pas beaucoup d'importance, parce que je ne le porterai pas longtemps. Je l'espère bien!

En rentrant chez moi, je décide donc d'enfiler mon maillot en dentelle, celui qui écrase et remonte mes seins vers mon menton de façon presque exagérée. Ce vêtement ressemble davantage à un corset qu'à un maillot. Il est fait de satin noir, brodé de minuscules perles, et le buste en dentelle est muni de solides balconnets. Le satin descend en s'amincissant vers l'entrejambe et est bordé par une bande très mince de dentelle. L'arrière du maillot se termine par la même dentelle, qui rejoint le dos par une simple agrafe. En me regardant dans le miroir, je me trouve pas mal du tout. De fins bas noirs complètent l'ensemble avec, en guise de petite touche supplémentaire, des chaussures aux talons vertigineux qui avantagent considérablement ma silhouette. L'effet est plus que satisfaisant.

Daniel m'a donné rendez-vous dans un petit bar à la mode en plein centre-ville. J'avais espéré quelque chose de plus intime, mais je lui laisse le soin de me surprendre.

Il est ponctuel et très chic dans un magnifique complet taupe. Son visage, rasé de près, dégage les effluves d'une suave eau de Cologne que je peux goûter alors qu'il s'assoit et m'embrasse passionnément.

— Tu es éblouissante ! me murmure-t-il.

— Attends de voir en-dessous...

Nous commandons à boire et sirotons nerveusement notre verre en nous dévorant du regard. Je me sens tendue, mais de façon tout à fait agréable. L'anticipation m'excite, ma curiosité est à son comble.

— Tu veux un autre verre avant qu'on parte ? demande-t-il bientôt.

— Est-ce que j'en aurai besoin ?

— Ça dépend de l'état dans lequel tu es...

— Moi ou mon corps ?

— Les deux...

— Partons tout de suite, alors !

Nous ne perdons pas plus de temps et montons immédiatement dans un taxi. Daniel a les yeux pétillants. Il donne un bout de papier sur lequel est indiquée une adresse au chauffeur et se met aussitôt à m'embrasser avec une rage insoupçonnée. Puis, il prend une longue et profonde inspiration :

— Tu m'as pris au sérieux... Dieu que j'ai envie de toi !

Je sens sa main glisser sous ma robe, et la mince dentelle sous laquelle palpite mon sexe humide et impatient me paraît tout à coup bien encombrante. Sous mes doigts habiles, posés sur son pantalon, son sexe se gonfle et je me réjouis de le voir atteindre des proportions alléchantes, tandis que le doigt qu'il glisse entre mes cuisses me fait gémir.

— On se déshabille ici ou on va réellement quelque part?

— Ce ne sera plus très long.

Je l'espère bien... Au rythme où vont les choses, je ne tarderai pas à laisser ma trace sur le siège du taxi. Les environs ne me sont pas familiers: c'est le *Red light* de la ville. Des prostituées arpentent le trottoir, alors que les bars et les cinémas pornos se succèdent en une nuée de néons criards. Une petite pointe d'appréhension se forme dans mon esprit torturé de désir, mais Daniel, qui a deviné ma gêne, me rassure.

— Ne t'en fais pas... Je ne t'emmène pas dans l'un de ces trous et je n'ai pas non plus retenu les services d'une «professionnelle» pour la soirée.

— Merci...

Le chauffeur s'enfonce dans une petite ruelle mal éclairée. Mais où diable nous conduit-il donc? Nous sommes maintenant à quelques rues de l'artère principale, et aucun commerce ni aucun bar ne sont visibles. Le chauffeur s'arrête enfin devant une porte, sur laquelle une plaque discrète indique: «Sur rendez-vous seulement».

Daniel paie la course du taxi et m'aide à descendre du véhicule avant d'entrer sans sonner. Un large vestibule, tout en miroirs, s'offre à nos yeux. Personne... Un assortiment de masques de carnaval est suspendu sur un mur, droit devant nous, à côté d'une porte close. Il y en a de toutes les couleurs, de toutes les formes. Certains sont décorés de dentelle et de sequins, alors que d'autres sont tout simples. Tous sont conçus pour couvrir la presque totalité du visage, ne laissant que la bouche et le menton à découvert.

Tendrement, Daniel me demande d'en choisir deux. Il en dépose un délicatement sur mon visage, avant de revêtir l'autre. Il ouvre la seconde porte et m'invite à avancer jusqu'à un comptoir qui ressemble à la réception d'un hôtel chic. Un maître d'hôtel en smoking nous y accueille poliment par un petit hochement de tête et un sourire discret.

— Vos noms, s'il vous plaît?

— Jean et Marie.

— Si vous voulez bien me suivre...

Jean et Marie? Mais qu'est-ce que c'est que cette histoire? Ma curiosité est piquée au plus haut point, et ma nervosité augmente d'un cran. Pourquoi portons-nous ces masques? Hum! J'en ai l'eau à la bouche, malgré l'incertitude qui m'envahit. L'homme nous guide le long d'un corridor sobrement décoré de toiles aux couleurs pastel. Sommes-nous dans un hôtel? un restaurant? Je n'en ai pas la moindre idée. Puis, le maître d'hôtel nous fait pénétrer dans une grande chambre circulaire dont le plafond est très haut et l'éclairage, judicieusement tamisé.

Les murs sont recouverts de verre ou de miroirs, je ne saurais le dire, quoiqu'ils me paraissent bien sombres. Mais comme il m'est impossible de voir au travers, j'en déduis que ce ne sont sûrement pas de simples fenêtres. Le verre est par contre suffisamment réfléchissant pour que je nous voie entrer dans cette pièce et regarder autour de nous d'un air ébahi, tandis que l'homme s'efface sans plus de cérémonie. Le mobilier de cet espace se résume à un énorme lit au centre. Un lit circulaire, lui aussi, qui trône au beau milieu de la pièce. Et tout autour, nous voyons des fauteuils, bas et larges, appuyés contre les miroirs.

Daniel semble aussi surpris que moi, mais il me dit:

— C'est exactement ce que l'on m'avait décrit. Mieux, même...

— Comme c'est étrange. Est-ce un hôtel?

— En quelque sorte... à quelques différences près... Viens.

Je m'élance enfin dans ses bras et nous nous embrassons aussi avidement que dans le taxi, sinon plus. Il commence à s'attaquer à ma robe quand je devine, plus que je ne le vois, l'éclairage changer subtilement. Je me rends alors compte que les miroirs, ou du moins ce que je croyais être des miroirs, sont en réalité des fenêtres. Mais ces fenêtres ne donnent pas sur l'extérieur... Pas du tout! La chambre fait plutôt office d'arène. Une arène autour de laquelle, sur deux étages, des gens masqués assistent au spectacle. Je ne vois que leurs silhouettes, mais ils sont nombreux. L'espace derrière les fenêtres semble divisé en une cinquantaine de petits compartiments d'où les gens assistent à nos ébats, seuls ou en couple. L'intensité de l'éclairage augmente encore un peu, m'empêchant de distinguer leur physionomie. Je ne perçois que leurs formes, masculines pour la plupart, mais aussi quelques couples enlacés qui attendent patiemment. Je suis sous le choc et ne sais pas trop comment réagir. Puis, je réalise ce qui se passe...

Daniel tente de scruter mon visage sous le masque, afin de saisir ma réaction. Il est tout à coup nerveux, incertain. Comment lui expliquer que ce décor, ce théâtre, tout cela est parfait? Que ce lieu fait naître en moi un désir immense? Plutôt que de m'expliquer, je saisis la main de mon amoureux et l'embrasse tendrement. Puis, je la guide sous ma robe pour qu'il puisse juger par lui-même ma réaction. Je recule ensuite de quelques pas et entreprends de me dévêtir lentement, prenant soin de lui adresser mon plus beau sourire pour lui faire comprendre qu'il a réussi à me satisfaire au-delà de mes espérances les plus folles. Je marche lentement autour du lit, me gavant de cette sensation de provocation, m'assurant que les spectateurs aient tous la même vue avantageuse sur ma tenue.

Je suis toujours en proie à un étonnement total et n'arrive pas encore à croire à ce qui m'arrive, mais je savoure chaque instant de triomphe. Je m'approche de Daniel et l'embrasse avec toute la passion dont je suis capable, glissant ma cuisse droite entre ses jambes pour me réjouir de son érection sublime. Je fais par la suite mine de lui retirer ses vêtements, guettant à mon tour sa réaction. Jusqu'où sa timidité lui permettra-t-elle de se rendre dans ce petit jeu? Il me sourit, devinant mon hésitation, et me rassure:

— Grâce au masque, tout va bien...

Avec un sourire taquin et triomphant, je lui demande de rester debout. Je pars m'étendre seule, sur le lit.

— Je vais enfin pouvoir continuer ce que tu m'as fait interrompre hier soir, petit coquin...

À ma grande surprise — et je dois dire à ma grande satisfaction — la chambre se met aussitôt à tourner lentement, très lentement. D'un mouvement à peine perceptible, le plancher circulaire pivote sur lui-même afin d'offrir à tous des prises de vue de choix. Je m'étends alors langoureusement sur le lit, écartant largement mes cuisses, et regarde attentivement autour de moi. Au moins cinquante paires d'yeux observent chacun de mes mouvements, et trente queues s'apprêtent à bander sur le spectacle que je vais offrir. Je peux sentir le désir qui se dégage des spectateurs. À cette pensée, mon sexe s'ouvre comme une fleur et je sens la sève couler jusque sur le couvre-lit de satin rose. Je libère mes seins de leur entrave, leur permets de respirer librement et de se gonfler d'orgueil. Ma main droite descend d'elle-même entre mes jambes, tandis que l'autre écarte les lèvres humides de mon sexe pour me permettre d'atteindre plus facilement la petite parcelle qui me ferait jouir instantanément si je me le permettais.

Daniel me contemple, me laissant goûter ce plaisir inespéré. Je me sens à la fois comme une déesse inaccessible, un objet de convoitise et une salope de la pire espèce. J'imagine tous ces gens haleter par ma faute, les couples se caresser et faire l'amour derrière les fenêtres, excités à la vue de mon corps enflammé, et je me sens irrésistible.

Daniel me rejoint bientôt au pied du lit et enfouit son visage entre mes cuisses brûlantes. Il me baigne de sa salive, me pénètre avec sa langue, suivie de ses doigts. Je ne sais plus quel liquide émane de qui. Tout ce que je ressens est cet orgasme imminent, démesuré, qui va me secouer d'un instant à l'autre. Daniel m'emmène au bord du gouffre et se relève brusquement. Il passe à la tête du lit et me caresse doucement la gorge en me retenant les poignets, m'empêchant ainsi de mettre fin à mon agonie et d'avoir une jouissance libératrice. Il m'embrasse en même temps le cou et les seins avec une douceur insupportable. Je sens sur ma peau des milliers de petits chocs électriques, des étincelles de plaisir. Mon amant se relève enfin et revient caresser mon sexe du bout des doigts, tout doucement d'abord, puis de façon plus insistante. Il monte sur le lit, à mes côtés, et se remet à la tâche, sachant que je vais bientôt exploser et ne voulant en priver personne. Des vagues déferlent à travers tout mon corps et je jouis avec une intensité impensable. Mon ventre se secoue interminablement, mon corps se tord contre ma volonté et, enfin, Daniel s'enfonce en moi.

Remontant mes jambes sur ses épaules, il me malmène à un rythme effréné.

— Ça va?

— Oh, Daniel, c'est incroyable... Comment as-tu su?

— Je te le dirai, un jour.

Sans dire un mot de plus, il m'aide à me retourner, me fait glisser au bord du lit et redresse mes fesses, avant de les saisir fermement et de s'enfoncer au plus profond de mon corps, tandis que ses doigts habiles me caressent et me chavirent de nouveau. Je ne me préoccupe plus beaucoup des gens qui nous regardent. Je ne fais que puiser dans leur présence une satisfaction intense, un plaisir décuplé. Je dédie secrètement chaque coup que me donne Daniel à l'un ou à l'autre de mes admirateurs anonymes, tentant ainsi de les remercier de l'honneur qu'ils me font. Je sens

Daniel frémir, immense en moi. Il va et vient avec une force inépuisable, me prenant par-devant, par-derrière, en dessous et au-dessus. Quand il me permet enfin de m'étendre sur lui et de le chevaucher, je mets tout l'art dont je suis capable à son service. Je me tiens assise sur lui, me caressant pour laisser couler librement un flot de jouissance qui ne s'épuise toujours pas. Puis, je m'accroupis lentement, enserrant sa queue de toutes mes forces dans mon vagin, avant d'accélérer devant son expression incrédule. Je lui fais l'amour avec le plus de tendresse, d'art et de gratitude possible. Je lui crie mon amour, mon bonheur et j'accélère jusqu'à ce qu'il jouisse à son tour, me renversant sur le côté pour me donner quelques coups ultimes. Comme s'il s'agissait d'un signal, la pièce est aussitôt plongée dans les ténèbres.

Ah! bienfaisante obscurité! Autant j'ai apprécié le décor qui nous environne, autant je veux à présent goûter ce premier contact avec Daniel en toute intimité. Je viens de réaliser un de mes fantasmes les plus fous, et à ce moment précis, je suis un peu confuse. Est-ce bien moi qui me suis donnée ainsi en spectacle? J'ai peine à y croire et ressens plein de sentiments contradictoires. Daniel m'a fait connaître une expérience à laquelle je n'avais pu que rêver, mais je ne suis pas certaine de vouloir la répéter. Cela a été si intense, si incroyablement exaltant que j'ai soudainement un peu peur de la signification d'une telle révélation. Je suis heureuse, vidée, bouleversée et amoureuse. Et ce moment de complicité, je n'aurais voulu le partager avec personne d'autre.

Daniel me prend dans ses bras, caresse mes cheveux, et je sens que je pourrais rester là très, très longtemps. Daniel rompt le silence en me murmurant:

— Tu sais, maintenant, on peut changer de place. On peut passer derrière les vitres...

— Non, non, ce n'est pas la même chose. Daniel, c'était... je ne sais pas comment te dire. Je rêvais de quelque chose comme ça depuis des années. Je n'avais pas d'image aussi détaillée ou élaborée, bien sûr, mais tout était parfait. Tout! Je suis heureuse de l'avoir vécu une fois et je suis satisfaite. Et toi, ça n'a pas été trop dur?

— Pas du tout. J'étais un peu mal à l'aise au début, bien sûr, mais ça s'est arrangé. Reste dans mes bras un moment, ensuite je te ferai visiter. J'ai une autre surprise... Tu veux bien passer la nuit chez moi?

— Comme si tu devais me le demander!

Nous restons là, repus de jouissance, dans les bras l'un de l'autre. J'ai maintenant très envie, un besoin pressant de partir d'ici. Puisqu'on ne peut pas rester dans cet endroit toute la nuit, autant ne pas s'éterniser. Et puis, il a parlé d'une autre surprise...

Je suis Daniel dans une petite pièce attenante, dans laquelle nous pouvons refaire un brin de toilette. Il me demande cependant de garder mon masque, et je ne me fais pas prier.

— Comment as-tu connu cet endroit? Qui peut penser à cela? demandé-je.

— Ça fait partie de la surprise... Je te fais faire le grand tour?

— Si tu veux, mais je veux aller chez toi ensuite...

— Oui. Ça ne sera pas long, je te le promets.

Il me guide dans un autre corridor, puis me fait gravir un escalier. En haut, le couloir que nous découvrons, entrecoupé de nombreuses petites portes, se courbe comme pour suivre le tracé d'une pièce circulaire. Je comprends qu'il s'agit des petites cabines dans lesquelles les gens prenaient place.

— Daniel, je n'ai pas envie de regarder un autre couple...

— Chut! Suis-moi.

Il ouvre une des portes, et avant que j'aie le temps de réagir, il saisit l'interrupteur et inonde la pièce de lumière. La petite cabine en question est occupée: un homme et une femme, tous les deux masqués, se tiennent par la taille sans bouger.

Sans se donner la peine de fermer la porte, Daniel passe alors rapidement à la pièce suivante et refait le même manège : deux silhouettes vêtues de tenues de soirée, portant gants et masques, nous tournent le dos… et ne bougent pas non plus !

— Tu vois, explique-t-il, j'ai un ami qui est styliste. Il utilisait cet endroit pour inviter les clients à voir ses nouvelles collections. Le bâtiment lui appartenait, mais il n'avait plus les moyens de faire appel à des mannequins… en chair et en os. Ceux-là, il les a achetés d'un magasin qui a dû fermer ses portes. Tu es déçue ?

J'ai besoin d'avaler ma salive à plusieurs reprises avant de répondre, réfrénant un fou rire. Ce sont des mannequins ! En plastique ! Je ne peux que m'incliner :

— Je crois bien que nous aurons réussi à rendre cette soirée inoubliable…

# Songe d’une nuit d’hiver

«Bzzzz! Bzzzz!»

La sonnerie de la porte d'entrée tire Michèle d'un profond sommeil. Il est huit heures et demie, et c'est la première journée de congé qu'elle se permet depuis trois semaines. Comme son mari est en train de négocier une nouvelle acquisition à l'extérieur de la ville, elle est toute seule pour quelques jours et peut, ou aurait pu, faire la grasse matinée...

«Bzzzz! Bzzzz! Bzzzz!»

Cette intrusion l'agace au plus haut point. «Pourquoi ne peut-on pas me laisser tranquille une seule journée?», se demande-t-elle, exaspérée. Elle est maintenant d'une humeur massacrante, et la journée ne fait que commencer.

Puisqu'il le faut... elle se résout à se lever en poussant un soupir à fendre l'âme.

La robe de chambre enfilée maladroitement, elle dévale l'escalier en maugréant. Par la petite fenêtre située à côté de la porte, elle aperçoit un énorme bouquet de lys blancs qui camoufle presque toute la tête d'un adolescent boutonneux.

— Quoi? Qui? Philippe?

Elle ouvre.

— Madame Berthier?

— Oui...

— C'est pour vous. Bonne journée!

Les fleurs sont magnifiques. Fait étrange et qu'elle ne souligne que par un vague haussement d'épaules, le nom du fleuriste n'apparaît nulle part. Mais sur l'emballage en plastique transparent se trouve une petite enveloppe. Michèle en devine le contenu avant même de l'ouvrir : une de ces minuscules cartes ornées de fades dessins de fleurs, de rubans et de petits oiseaux. Elle parierait ce qu'elle a de plus cher qu'à l'intérieur, griffonné par le préposé, est écrit un banal « Je t'aime. Philippe ». Elle l'ouvre quand même, curieuse malgré tout.

Il s'agit, de toute évidence, d'une tentative de réconciliation de la part de son très cher époux. Un effort banal et prévisible, qui ne réglera certainement pas leurs problèmes, mais un effort tout de même. Elle aurait bien aimé qu'il trouve quelque chose de plus original, mais elle reconnaît bien là l'homme qu'elle a épousé et qu'elle espérait secrètement capable de changer avec le temps. Elle se souvient du vieil adage que lui répétait souvent sa mère : « Le problème, avec le mariage, c'est que la femme se marie en espérant que son homme changera, et l'homme, en espérant que sa femme ne changera pas... »

Pour en revenir à la carte, elle est effectivement très petite, mais toute blanche, absolument vierge. À l'intérieur, le sempiternel « Je t'aime. Philippe » est remplacé par un énigmatique « *Il y a un bon moment que je te regarde* ». C'est tout... Pas de signature ni d'initiales, pas de « Je pense à toi » ou de « Pardonne-moi ». « Qu'est-ce que cette phrase peut bien vouloir dire ? », se demande-t-elle, perplexe. Ce n'est pas le style presque télégraphique et trop direct de Philippe, et ce n'est pas non plus son écriture trop soignée, ce qui porte à croire qu'il a probablement dicté cette phrase au téléphone. Mais pourquoi tant de mystères ?

Cette question trotte dans la tête de Michèle, qui se retrouve plantée là, à ne rien faire d'autre que tenter d'élucider cette énigme. Elle est maintenant réveillée pour de bon, il lui serait tout à fait inutile de retourner au lit. Elle abandonne à regret sa douce idée de grasse matinée, optant plutôt pour un bon bain chaud, afin de s'offrir quand même une petite gâterie.

La phrase de la carte la hante jusque dans la baignoire débordant de bulles. Quand Philippe est parti, avant-hier, l'atmosphère était plutôt lugubre. La tension dans laquelle vivait le couple depuis des mois s'était finalement transformée en agressivité, puis en dispute. La cause de cette dernière est encore un peu floue dans son esprit. Probablement un ramassis de griefs trop longtemps refoulés, ressassés, étouffés. Il faut dire qu'après cinq ans de mariage, ils n'ont toujours pas d'enfants. Ils jouissent tous les deux de carrières qui les passionnent et prennent leur temps. Tout allait bien jusqu'à tout récemment, en fait. Immergée dans son bain, Michèle se demande soudain à quand remonte la dernière fois qu'ils ont fait l'amour… Ça doit faire au moins trois mois. Un autre de ces petits épisodes sans passion, presque mécaniques, trop rapides, distraits. «Et ça aussi, c'est de ma faute!, rage-t-elle. Je travaille trop, semblerait-il. Et Monsieur, lui, ne peut se rendre plus disponible pour sa chère épouse. Son travail est trop important… Mais le mien, ce n'est pas grave! Il faudrait que je trouve le temps de travailler soixante heures par semaine, règle tous les petits problèmes ménagers et financiers et, finalement, reconquière et réveille les ardeurs de mon guerrier. Quoi de plus simple?»

Enfin, quoi qu'il en soit, ce matin-là, tout a explosé. Philippe lui a avoué, sans trop de délicatesse, qu'il ne savait plus comment s'y prendre avec elle. Et elle, avec encore moins de tact, lui a confié qu'il ne l'excitait plus. Il est parti depuis deux jours et elle est sans nouvelles de lui. À l'exception de sa petite manifestation de ce matin, bien entendu. Mais ces mots sont-ils une réplique à ce qu'elle lui a dit pendant leur dispute, à savoir qu'elle avait le sentiment d'être «devenue invisible à ses yeux»? Ou s'agit-il plutôt d'une réponse à son accusation d'être aveugle aux efforts qu'elle fait pour lui plaire? Elle n'en sait rien. Son mari n'aime pas les situations confuses et les sous-entendus. Il a l'habitude de dire: «Dis ce que tu as à dire, qu'on en finisse!». Elle ne comprend donc pas du tout pourquoi il s'amuse lui-même à la confondre de la sorte...

Cette énigme met Michèle hors d'elle, lentement mais sûrement. Sans une once de culpabilité, elle considère qu'elle a mieux à faire que de passer des moments précieux à ruminer les états d'âme de Philippe. Mais elle n'y peut rien... Il est maintenant dix heures et demie et son bain ne l'a pas calmée. Elle tourne en rond comme une lionne en cage. Et pour couronner le tout, le téléphone la fait soudain sursauter.

Philippe... Sa voix est douce, on dirait presque un murmure. Lui qui, d'habitude, débite d'un seul trait l'objet de son appel avant de raccrocher presque trop rapidement semble hésitant. Après les banales salutations d'usage, il finit par se lancer à l'eau:

— Michèle, il faut qu'on se parle.

Il prend une lente et profonde inspiration, hésite une seconde, puis ajoute:

— Je n'arrive pas à me concentrer. Tu me manques. Je ne veux pas te perdre. J'ai peur...

Étonnée par cet étalage inhabituel de sentimentalité, Michèle oublie sur le coup presque toute sa rancœur et tente d'adoucir le ton de sa voix.

— Philippe, moi aussi, j'ai peur. Qu'est-ce qui se passe entre nous deux? Quand donc avons-nous arrêté de nous parler, de nous comprendre? Qu'est-ce qui a changé?

— Écoute, Michèle. Je vais essayer de revenir plus tôt, OK? Aujourd'hui, on est mercredi. Je devais être en négociations jusqu'à jeudi prochain, mais je vais tout faire pour revenir plus tôt. Je ne peux plus vivre comme ça, en me demandant si tu seras là à mon retour.

— Bien sûr que je serai encore là. Il faut juste qu'on prenne le temps de se parler, les yeux dans les yeux.

— OK. Je t'embrasse et je te donne de mes nouvelles. Prends soin de toi. Tu me le promets ?

— Oui, c'est promis. Oh ! J'allais oublier... merci.

— Merci pourquoi ?

— Tu le sais bien, je les ai reçues.

— Quoi donc ?

— Mais tes fleurs, voyons !

— Quelles fleurs ? Je ne t'ai pas envoyé de fleurs !

Il a l'air sincèrement étonné.

— Bon, si tu le dis...

— Je suis sérieux. Quelles fleurs ?

Un silence s'installe. Puis, il ajoute sur un ton glacial :

— Tu as un admirateur ?

— Mais non ! Ça doit être René ou Manon. Ils savent que je ne vais pas très bien, ces jours-ci.

— Tu me caches quelque chose ?

— Mais non. Écoute, il faut que je te laisse. Tu me téléphones ?

— Oui. À bientôt.

Michèle raccroche, dubitative. Philippe avait l'air sérieux. Mais qui d'autre aurait pu envoyer ces fleurs ? Et ce petit mot ? Leurs meilleurs amis, René et Manon, ne sont pas au courant de leurs problèmes. Pourtant, Philippe n'est pas enclin à jouer à ce genre de petit jeu et encore moins à raconter à qui que ce soit leurs difficultés conjugales.

Cette histoire obsède Michèle encore plus. Son mari la tracasse aussi. Elle se souvient des paroles dures qu'ils se sont jetées à la figure avant son départ, et elle s'en veut terriblement. Au téléphone, il semblait vouloir arranger les choses. Elle aussi ferait un effort. Tout allait pourtant si bien jusqu'à... jusqu'à quand, au juste ? Elle a été follement amoureuse de cet homme. Puis, la passion s'est peu à peu transformée en amour plus terre à terre, plus profond. Oui, elle l'aime encore et il l'attire toujours, malgré ce qu'elle prétend. Mais voilà... son manque d'intérêt au lit la blesse terriblement. Le sexe, c'est pourtant ce qui les rapprochait le plus, autrefois. C'était ce qui leur faisait oublier les petits problèmes insignifiants. Et Dieu que ça lui manque!

Elle est maintenant trop préoccupée pour demeurer à la maison comme elle en avait l'intention, elle en convient. Finalement, ce sera une autre journée de travail. Mais seulement après une dernière tasse de café, bien calée dans son fauteuil préféré, le journal du matin étalé devant elle.

C'est alors qu'une alternative qu'elle n'avait pas encore osé envisager lui traverse l'esprit. Elle la chasse tout de suite de ses pensées, mais celle-ci revient obstinément à la charge. Et si, comme l'avait suggéré Philippe, elle avait un admirateur? Un homme timide qui la regarderait de loin, la sachant mariée, incapable de taire ses sentiments? «Je ne suis pas si mal, après tout! Ce n'est pas parce que mon mari ne semble plus me désirer que je devrais me dessécher comme une vieille plante au soleil!», se dit-elle.

Bien installée dans son fauteuil, Michèle se remémore la scène dont elle rêve depuis l'adolescence. Un soir d'été, une plage déserte, une balade solitaire. Un inconnu se dirige lentement vers elle. Elle ne le voit pas et ne se doute pas encore qu'il est là, rythmant son pas au sien et l'observant attentivement. Il est grand et mince, et ses cheveux courts sont d'un brun profond. Les yeux presque noirs de cet homme, intenses et un peu sauvages, sont fixés sur son dos, ses épaules et ses jambes. Il porte un jean ample et usé, ainsi qu'une chemise blanche. Ses pieds nus s'enfoncent dans le sable humide de plus en plus rapidement, afin de la prendre de vitesse. Quand elle devine sa présence, il est déjà trop tard. Il l'a déjà attrapée par-derrière. D'un bras passé autour de sa gorge, il la traîne sans effort apparent jusqu'à des buissons situés derrière la dune, à l'abri d'éventuels intrus.

Puis, il attache solidement les bras de sa victime à une branche d'un vieil arbre que l'air salin a blanchi, et écrase son corps contre le tronc. La robe de Michèle se déchire, et l'écorce s'enfonce douloureusement dans sa poitrine. Pas un mot n'est prononcé ni une menace, formulée... autre que celle proférée par le membre de cet inconnu, bien appuyé contre ses reins. Il est énorme et lui semble aussi dur et solide que l'arbre auquel elle est attachée.

Michèle est totalement absorbée par son fantasme. Elle réalise à peine qu'elle a commencé à caresser doucement ses seins, son ventre, ses cuisses. Elle entend l'inconnu lui murmurer à l'oreille de ne pas crier, sinon il devra la bâillonner. De toute façon, le bruit des vagues enterrera ses cris. Il relève rudement sa robe délicate et arrache sa culotte d'un seul geste. À l'intérieur de son bas-ventre, Michèle sent qu'une pression mi-douloureuse, mi-agréable commence à s'éveiller. Cette sensuelle lourdeur l'humecte alors que de délicieux petits frissons lui parcourent le corps.

Michèle retire distraitement sa robe de chambre encombrante, alors que son amant imaginaire lui soulève les hanches, ne la laissant s'appuyer que sur l'extrême pointe de ses pieds. Il lui écarte rudement les cuisses, l'embrasse, la mord et l'égratigne de son menton mal rasé.

Le cerveau engourdi de Michèle a guidé instinctivement sa main vers la douceur de ses cuisses, tandis que l'homme de son rêve s'enfonce en elle de toute sa puissance, en la mordant et en lui murmurant des paroles urgentes mais inintelligibles. Il déchire bientôt davantage le haut de sa robe pour saisir ses seins à pleines mains, tout en la pénétrant violemment, avec un regard qu'elle devine fiévreux.

Étourdie par l'intensité de cette chimère, Michèle laisse ses doigts s'agiter de plus en plus fébrilement sur son sexe enflammé.

Ils connaissent par cœur les endroits à conquérir plus ou moins fermement et se lancent à l'assaut. Ils massent la peau rougie, humide, l'intérieur bouillant... et elle finit par jouir en même temps que l'inconnu de son rêve.

• • •

Il est déjà midi quand elle arrive à son travail, l'air un peu hagard. Sonia, sa secrétaire, lui jette un regard ahuri. Après lui avoir expliqué qu'elle avait trop à faire pour rester à la maison, Michèle s'empare de son courrier et se dirige vers son bureau. La paperasse habituelle: des cartes de Noël, des factures qui arrivent toujours trop tôt et des annonces de promotions. Mais aussi une enveloppe blanche toute simple, sans adresse de retour, sur laquelle n'est inscrit que son nom. Cette écriture... elle jurerait que c'est la même que celle de la petite carte de ce matin! Elle l'ouvre immédiatement, à la fois excitée et inquiète. Elle en sort une feuille blanche, ordinaire et sur laquelle elle peut lire ces mots: « *Ma chère Michèle, j'espère que mes fleurs t'ont plu. Je te regarde et je te veux. Bientôt.* »

À nouveau, pas de signature ni d'initiales. Rien. Et ce n'est pas l'écriture de Philippe, elle en est sûre. Elle se rend sans attendre jusqu'au bureau de Sonia.

— Dis donc, Sonia, cette enveloppe, elle a été livrée comment?

— Je ne le sais pas. En fait, elle était par terre quand je suis arrivée. Comme si on l'avait glissée sous la porte. Chose certaine, personne n'est venu la livrer en main propre, je m'en souviendrais.

Elle hésite avant d'ajouter:

— Pourquoi, ça ne va pas?

— Non, non. Ce n'est rien. C'est juste un peu bizarre, c'est tout.

Michèle retourne à son bureau et range l'enveloppe dans son sac, afin de pouvoir comparer les calligraphies, une fois de retour chez elle.

Et se rend bien compte, ce soir-là, qu'elles sont identiques...

• • •

Jeudi, onze heures et demie. Michèle essaie de travailler, mais le cœur n'y est pas. Son bureau est un véritable bordel, dont elle remet sans cesse la corvée du ménage depuis le début de l'automne. Elle entreprend d'y remédier sur-le-champ et demande à Sonia de venir lui donner un coup de main. En refermant la porte, sa secrétaire découvre un paquet appuyé contre le mur.

Michèle est certaine de n'avoir jamais vu cette boîte auparavant. Cette dernière est blanche et rectangulaire comme celles que l'on trouve dans les grands magasins, mais aucun destinataire n'y est identifié. Michèle la déballe, un peu nerveuse, et reste bouche bée : deux magnifiques lys blancs sont délicatement déposés sur du papier de soie. Elle met quelques secondes avant de soulever le papier de ses mains un peu tremblantes. Plié avec soin dans cette boîte anonyme, se trouve un superbe déshabillé en dentelle blanche orné de délicates broderies et de fines bretelles en satin. Et comme elle le pressentait, une petite carte blanche gît au fond du paquet. Mais cette fois-ci, il y est inscrit « *À très bientôt.* » Rien de plus.

Sonia a un petit sourire entendu. Michèle, elle, est une fois de plus perplexe. Comment cette boîte est-elle arrivée dans son bureau ? L'ordre dans lequel elle a jusqu'à présent trouvé ces petits indices la perturbe. L'histoire prend une tournure de chasse au trésor qui devient maintenant un peu inquiétante. S'il s'agissait de son mari, la seule explication plausible serait qu'il ne soit pas à l'extérieur de la ville. « Mais pourquoi tant de mystère, auquel cas? Ce n'est pas du tout le genre de choses qui amusent Philippe.» Et si son hypothèse était vraie? Si c'était bien quelqu'un d'autre qui lui tournait autour? «Mais je divague complètement, moi! Je ne suis pas l'héroïne d'un téléroman, mais Michèle Berthier. Une femme ordinaire, mariée à un homme ordinaire et menant une vie ordinaire. Il ne peut s'agir que de mon homme ordinaire, qui a décidé de me surprendre un peu, voilà tout», se raisonne-t-elle intérieurement, en vain.

— Hum... Il a quand même bon goût, ton mari.

Sonia a une mine espiègle et un rien envieuse. Elle adresse un petit clin d'œil à sa patronne, et toutes deux se remettent à la tâche en oubliant l'incident.

En arrivant à la maison, ce soir-là, Michèle enfile tout de suite son cadeau. Il lui va à merveille. Philippe — ce ne peut être que lui, elle en est convaincue — connaît mieux son corps qu'elle ne veut bien le croire. Elle adore la féminité sublime de ce vêtement, sa douceur et sa légèreté. Pour la première fois depuis longtemps, elle se sent presque désirable, sensuelle. Elle a la ferme intention de poursuivre ce petit jeu pour voir jusqu'où il la mènera. Comme Philippe ne lui a laissé aucun numéro pour le joindre, elle attend son appel avec impatience.

Mais le téléphone ne sonne pas de la soirée.

Le lendemain, le vendredi, rien d'inhabituel ne lui arrive: aucun colis ni de coup de téléphone. Aucune surprise qui vienne briser la monotonie de la journée. Elle est un peu déçue. Elle se demande bien jusqu'où ira son admirateur, et elle commence à trouver ses petites attentions de plus en plus excitantes, elle doit se l'avouer. Aurait-il déjà abandonné la partie?

N'ayant pas envie de sortir ce soir-là, elle demeure à la maison. Après un bon repas agrémenté d'un petit verre de vin rouge, Michèle se laisse aller à savourer le plaisir d'être seule. Elle adore ce sentiment confortable d'intimité, d'indépendance et de liberté.

Il neige un peu et tout est calme au dehors, presque figé comme un décor de Noël. Les sons, à l'extérieur, sont feutrés, assourdis par la neige épaisse qui s'est accumulée depuis le début de la journée. Michèle décide tout à coup de revêtir son joli déshabillé. Le vin aidant, elle se sent calme et détendue, mais il lui manque quelque chose. Elle choisit donc une musique de circonstance et, pour son plus grand plaisir, son amant imaginaire revient hanter ses pensées sans prévenir. Il s'agit toujours du même homme, qu'elle connaît maintenant très bien pour en avoir rêvé depuis si longtemps. Il arrive comme toujours derrière elle et lui enserre la gorge de son bras. Mais cette fois, il est ici, chez elle. Le déshabillé quitte brutalement son corps au moyen d'un coup de poignet, le même qui la projette sans ménagement sur un amas de coussins. L'inconnu la maintient sur le ventre de tout son poids, ne soulevant que son bassin grâce à de nombreux coussins. Puis, sans avertissement, il envahit son corps de plusieurs doigts et de sa langue. Elle sent sa main rugueuse s'insérer à l'endroit le plus doux de son ventre, et sa bouche affamée la dévorer. La douleur est exquise, la peur délicieuse, le plaisir insoutenable. Puis, sans autre préambule, il laisse tomber sur le sol son jean et s'engouffre brutalement en elle, la déchirant et la meurtrissant. Il s'active de plus en plus rageusement, glissant sans efforts dans son sexe que le plaisir rend moite. Sa queue est énorme, et Michèle sent la peau délicate de ses lèvres s'écorcher sous l'assaut. L'inconnu le sait aussi et s'en réjouit. Il accélère sa cadence et la laboure en poussant des grognements discrets, jusqu'à ce qu'elle explose de plaisir. Cette nuit-là, son corps de nouveau recouvert de dentelle et de satin, Michèle s'endort sans peine.

Samedi matin, elle est réveillée par le téléphone. C'est Philippe.

— Bonjour. Je te réveille ?

— Oui, mais ce n'est pas grave. Comment vas-tu ?

— Pas mal. Les choses se déroulent bien et je crois pouvoir

rentrer lundi. As-tu réfléchi à notre histoire? Tu me manques terriblement, Michèle.

Comme elle ne dit rien, il continue:

— J'avais tort. Je regrette les paroles que j'ai dites.

— Moi aussi, Philippe, je suis désolée. Mais il faudra quand même se parler si on veut que ça dure. Tu reviens lundi, c'est sûr?

Puis elle poursuit, avec une toute petite pointe de sarcasme dans la voix:

— Sinon, les négociations se déroulent comme tu le veux?

— Oui, oui. Écoute, Je ne peux pas attendre plus longtemps. J'ai...

Sa respiration à elle seule est éloquente.

— J'ai envie de toi.

Depuis quand ne lui a-t-il pas fait de tels aveux? Il ne peut s'agir que de son admirateur secret, elle en est maintenant certaine.

— Moi aussi, j'ai envie de toi...

Elle tente de le forcer à se découvrir:

— Et si tu me voyais, tu ne résisterais pas...

— Je connais bien tes petites robes de nuit... Laquelle portes-tu, la rouge ou la verte? N'en dis pas plus, c'est assez difficile comme ça!

— OK, comme tu le veux. Au revoir, mon chéri.

— Bye. À lundi.

Rien. Il n'a fait aucune allusion à sa nouvelle tenue, du moins rien de concluant. Il est plus fort qu'elle ne le pensait. Elle doit bien avouer que, pour le moment, il mène le jeu. Mais pas pour longtemps, elle se le promet.

• • •

Il est près de dix heures quand elle arrive à son bureau. Elle aime bien travailler le samedi. L'endroit est désert, le système téléphonique enregistre tous les appels en dehors de sa ligne personnelle, et tout est calme. Elle se met immédiatement à la tâche.

Elle travaille sans relâche jusqu'aux alentours de quatorze heures. Elle ne s'en rend compte que parce que la faim la tenaille. Un sandwich au petit restaurant du coin réglera son problème, et elle salive rien qu'à y penser. La sonnerie de sa ligne téléphonique personnelle retentit juste au moment où elle s'apprête à sortir.

— Allô?

— Michèle.

— Oui. Qui est-ce?

— Je te regarde.

Voix grave, rauque, respiration lourde. Ce n'est pas la voix de Philippe. Un frisson sournois qui se tapissait quelque part en elle lui parcourt l'échine, et ses mains deviennent moites.

— Qui est-ce?

Pas de réponse, seulement une respiration laborieuse.

— Philippe, si c'est toi, arrête ton petit jeu. Tu gagnes, tu es plus fort que moi.

— Alors, c'est Philippe, le nom de ton mari? Dis-moi, Michèle, est-ce qu'il te regarde de la même façon que moi? Est-ce qu'il te désire autant que moi?

— Bon, ça suffit. Je vais raccrocher, Philippe, tu commences à m'énerver.

— Il aurait dû te voir, hier soir, ce Philippe. Le petit déshabillé que je t'ai offert te va vraiment très bien. J'aime le blanc, c'est pur, c'est doux. Mais tu n'aimes pas les hommes trop doux, hein, Michèle? Moi, je suis plutôt le contraire et je peux te donner ce dont tu rêves depuis très longtemps...

Le cœur de Michèle s'arrête subitement de battre. Elle est glacée. «Hier soir? HIER SOIR?»

— Michèle, n'aie pas peur, je ne te veux aucun mal, reprend la mystérieuse voix. Tu m'excites, Michèle. Quand tu te touches comme tu le faisais hier, tu m'excites terriblement. Rien qu'à penser à toi, je deviens si dur et si gros que même toi, tu pourrais à peine le supporter. Je veux te regarder jouir. Ça fait trop longtemps qu'un homme t'a touchée comme tu le voudrais, Michèle. Tu mérites mieux…

«Clic!» le combiné téléphonique vient d'être raccroché à l'autre bout de la ligne.

Michèle, elle, commence à en avoir assez. La faim l'a quittée et tout ce qu'elle veut, à présent, c'est sortir de là tout de suite. Si Philippe était à l'origine de tout cela, il allait trop loin. Qu'est-ce qu'il fabriquait depuis trois jours? Est-ce qu'il la surveillait? Et pourquoi ne venait-il pas dormir à la maison s'il n'était pas à l'extérieur de la ville? Soudain, ce petit jeu ne lui semble plus très drôle. Et si, comme son cerveau le lui crie, ce n'était pas lui, alors elle ne serait pas en sécurité. Pas le moins du monde. Elle voit alors par la fenêtre que la neige légère de l'avant-midi s'est transformée en tempête. Encore! Bon, eh bien, tant pis pour le sandwich. Elle décide de rentrer chez elle et de s'y enfermer jusqu'au lendemain. Et se jure que si Philippe téléphone ce soir-là, elle lui dira qu'il y va un peu fort. Quand il verra à quel point elle est inquiète, il avouera son stratagème, c'est certain. Par contre, s'il nie tout et insiste sur le fait que ce n'est pas lui, elle appellera la police.

Elle se sent déjà mieux lorsqu'elle quitte l'immeuble. Mais la tempête qui s'abat sur la ville est impressionnante. À la radio, on suggère fortement aux gens de rentrer chez eux ou de limiter le plus possible leurs déplacements. On prévoit que le vent va se lever et qu'il tombera entre vingt-cinq et trente centimètres de neige d'ici le lendemain matin. Michèle adore la neige, mais c'est la troisième tempête qu'elle essuie en deux semaines et dans son état, personne n'a besoin d'insister pour qu'elle retourne à la maison. Elle fait juste quelques courses en chemin dans une circulation de plus en plus laborieuse. La nuit commence à tomber quand elle gare enfin la voiture devant chez elle, saine et sauve, heureuse d'être arrivée.

Sur le seuil de la porte, presque enfoui sous la neige, un autre bouquet de lys blancs à moitié gelés l'attend. Elle entre précipitamment et ouvre l'inévitable petite enveloppe qui accompagne ce présent: « *Je suis désolé de t'avoir fait peur, Michèle. Je ne désire pas t'effrayer, je veux seulement te posséder. Juste une fois. Il ne faut pas avoir peur de ses fantasmes...* »

Ah ! Voilà ! Après la surprise, un sentiment de soulagement la traverse. Elle se souvient clairement que Philippe lui a déjà reproché de ne pas partager ses fantasmes avec lui. Il disait qu'il était sain et normal d'en avoir et que si elle en parlait plus ouvertement, il saurait davantage comment lui plaire. Mais il y a des choses que Michèle considère trop personnelles pour les soumettre à l'opinion des autres, et ses fantasmes en font partie. Philippe est un homme tendre et patient, ce qui explique qu'elle l'aime. Mais il avait tellement insisté un jour que, pour éviter une dispute, elle avait tenté de lui expliquer son point de vue. Elle lui avait simplement dit: « Si, par exemple, un de mes fantasmes consistait à me faire violer par un étranger, cela te semblerait contradictoire parce que je t'aime et que tu es un homme tendre. Tu me trouverais peut-être un peu bizarre. Ma peur du viol est aussi intense que celle de la plupart des femmes, mais il se pourrait que j'en rêve de façon un peu perverse et avec des nuances subtiles. Voilà pourquoi je crois que certains fantasmes doivent demeurer secrets. Pourrais-je vraiment me laisser attaquer par un homme en songeant qu'il n'y a aucun danger et que ce n'est que pour le plaisir ? Non. Alors, ça servirait à quoi de t'en parler ? Ça me rendrait mal à l'aise et ça te mettrait tout à l'envers. C'est tout, n'en parlons plus. » Elle n'avait ensuite pas su comment lui dire qu'elle aurait seulement eu envie qu'il fût quelquefois un peu plus passionné au lit. En un mot, plus fort, plus brutal. Il n'avait de son côté jamais plus abordé le sujet.

Tout de même… Michèle a encore beaucoup de difficulté à croire que son mari, qui se vante d'être conservateur et respectueux, puisse se montrer si imaginatif. Elle veut s'en convaincre de toutes ses forces, mais le doute persiste et l'agace. Tout cela est tellement différent du Philippe qu'elle connaît depuis tant d'années ! Jamais il n'aurait eu le cran de faire quelque chose de si imprévisible, de si sexuel. Pas son Philippe. Mais alors, qui ?…

La tempête de neige sévit de toute sa terrifiante splendeur. On n'en voit de telle qu'au Québec, et encore, pas à chaque année ! Toute la gamme des perturbations est censée passer au cours des prochaines heures : neige, verglas, grêle, tonnerre, éclairs, le tout assaisonné de rafales de vent atteignant les quatre-vingt kilomètres-heure. Michèle ne voudrait se trouver nulle part ailleurs. Elle est bien chez elle, emmitouflée dans sa chaude robe de chambre. Mais une tempête d'une telle violence la rend quelque peu nerveuse, à la fois excitée et irritable. Un petit verre de vin l'aidera sûrement à dormir ou, du moins, à se calmer.

Les heures passent et Philippe ne téléphone pas. Elle se résigne à aller dormir.

Et effectivement, elle devait s'être assoupie, parce qu'en sentant une main lui empoigner les cheveux avec une force presque surhumaine et une autre, gantée, se presser contre sa bouche, Michèle croit mourir de surprise et de frayeur. Après une première décharge d'adrénaline, son cœur bat la chamade, menaçant de lui défoncer la poitrine. Son cerveau aussi est en pleine déroute. Voyons, un rêve ne peut être aussi réaliste, c'est impossible ! Quand elle comprend enfin qu'il ne s'agit pas d'un rêve, elle essaie de hurler à pleins poumons, mais son cri reste muet même s'il lui déchire la gorge.

Elle a peine à respirer et se débat de tout son être. Son agresseur la maintient cependant fermement et s'assoit sur ses fesses, lui écrasant cruellement les poignets sous ses genoux. Elle réussit à porter quelques coups, sans toutefois causer le moindre tort à son assaillant. Elle tente vainement de se calmer et d'analyser la situation. «Pas de panique, pas de panique!», se répète-t-elle.

— Reste tranquille, je ne te veux aucun mal. Je te regarde depuis si longtemps! Je ne pouvais plus attendre. Ne me force pas à te frapper, tu es trop belle, Michèle. Je te veux, maintenant.

Le ton est catégorique.

C'est lui. LUI. Elle essaie tant bien que mal de se retourner. L'obscurité la plonge dans une terreur encore plus profonde, et le fait de ne pouvoir apercevoir le visage de son agresseur lui fait ressentir un sentiment de vulnérabilité insupportable. Un millier de pensées se bousculent dans sa tête, de même que des questions auxquelles elle n'aura peut-être jamais la chance de répondre: «Comment est-il entré ici? Qui est-ce? Qu'est-ce que j'ai fait? Est-ce que je le connais? Moi, victime d'un viol? Je ne veux pas mourir!» Elle comprend, malgré la panique qu'elle ressent, que la noirceur est peut-être une bénédiction. Après tout, peut-être ne lui fera-t-il aucun mal s'il sait qu'elle ne pourra jamais le reconnaître.

Comme pour confirmer ses dernières pensées, l'inconnu dit:

— Je te promets que si tu restes tranquille, je ne te ferai aucun mal.

Sa voix se fait rassurante.

— Je partirai quand j'en aurai fini avec toi et tu ne me reverras jamais, je te l'assure.

L'inconnu lui caresse doucement les cheveux.

— N'aie pas peur, je t'aime. Je ne te ferai aucun mal.

Michèle n'en croit pas ses oreilles. C'est fou! C'est complètement fou! Il l'aime? Mais qui est-ce? Le connaît-elle?

Il interrompt ses pensées en la retournant brusquement sur le dos. Elle essaie de percer les ténèbres pour discerner son visage, mais c'est inutile. Elle ne perçoit que la forme de sa tête qui semble trop lisse, comme si elle était recouverte d'une cagoule. L'homme maintient fermement sa main sur le visage de Michèle, mais elle réussit à pousser un cri strident tout en tentant désespérément de le frapper de ses poings maintenant libres. Elle réussit presque à le mordre, mais ne garde dans la bouche que le goût amer du cuir.

— Je t'ai dit de te tenir tranquille...

La voix a changé. De la voix basse et rauque, il ne reste aucune trace. Celle qui l'a remplacée est douce, familière et patiente: Philippe? Pourtant la poigne qui la maintient immobile est toujours aussi ferme et cruelle.

— Tu peux crier, mais personne ne t'entendra, reprend la voix. Personne. Tu es à moi, maintenant. J'attends depuis trop longtemps. Je t'aime. Ne me résiste pas, je ne te veux aucun mal.

Tout à coup, la main qui lui empoigne les cheveux les libère, et le gant sur sa bouche est remplacé par un foulard en soie. Michèle est toujours aveuglée par la noirceur. Mais elle sent, elle sait que c'est Philippe. Oh oui! C'est bien lui! C'était lui depuis le début. Le soulagement qu'elle ressent soudain lui fait prendre conscience de toute l'absurdité de son plus grand fantasme. Et chose surprenante, malgré la colère qui lui donne envie de frapper son mari, de le punir de lui avoir fait aussi peur, cet apaisement s'accompagne de l'éclosion de son sexe. Elle en devine les parois s'ouvrir, se gonfler de désir. Philippe lui donne un baiser léger comme l'air sur la tempe... et profite de cet instant pour lui attacher fermement les poignets et lui relever les bras au-dessus de la tête, les rendant ainsi inutilisables. Michèle a mal, mais elle a l'impression d'avoir attendu ce moment toute sa vie. Comme une porte qui s'ouvre enfin sur un bien-être sublime. Philippe saisit sa robe de nuit et la déchire d'un coup sec. Michèle frissonne. Elle tente de se relever, mais il lui attrape fermement les épaules et les plaque contre le lit.

— Tu ne veux pas être gentille, hein ? Alors, je n'ai pas le choix.

Philippe se rassoit sur elle et retire sa ceinture en silence. Michèle, quant à elle, continue de se débattre, d'essayer de crier et de se lever, c'est plus fort qu'elle. Il passe alors la ceinture autour du foulard qui lui lie les poignets et la fixe solidement à l'un des coins du lit. La voilà prise au piège : c'est à la fois merveilleux, délicieux et terriblement frustrant. Philippe agrippe ensuite sa culotte et la fait descendre le long de ses jambes, brûlant sa peau de façon exquise au fil de son passage. Michèle ressent enfin une chaleur révélatrice. Cette crampe sourde, mais perçante, dans son bas-ventre qui la brûle, la transperce, l'excite et la rend luisante de désir. Celle qu'elle attendait avec impatience, en espérant qu'elle reviendrait un jour…

— Qu'est-ce que tu faisais, toute seule, hier soir ? Tu pensais à quoi, hein ?

Michèle décèle un sourire dans le ton de la voix de son époux, qui poursuit.

— C'est ça que tu voulais ? Ça que tu attendais ?

Jamais elle n'aurait cru possible d'entendre Philippe lui parler sur ce ton. Il semble vraiment fâché, intransigeant. Il lui soulève les fesses d'une main et, de l'autre, se met à la caresser. Fort, beaucoup trop fort. Et c'est exactement ce qu'elle souhaite, haletante. Des doigts la pétrissent impitoyablement. La douleur et le plaisir sont presque insoutenables. Ses poignets aussi la font souffrir, et son corps entier est en alerte. Mais son ventre est en feu. Des gouttes de jouissance perlent, glissent sur ses lèvres, entre ses fesses. Elle appelle cette douleur, elle la désire autant que l'homme qui est au-dessus d'elle. Il devient le symbole de sa douleur et elle l'attend avec impatience. Comme s'il lisait ses pensées, Philippe s'empare de ses seins et les broie, ses ongles griffant ses mamelons au point de la faire hurler en silence. Des larmes tièdes coulent lentement le long de ses joues. Des larmes de douleur ou de joie, elle ne le sait plus. Philippe la pince et la mord de plus belle, attaquant aussi sa gorge, ses épaules et son ventre. Sa descente amène ses dents à meurtrir l'intérieur si délicat de ses cuisses, tandis que ses mains lui rompent les os. Quand ses lèvres et ses dents atteignent enfin les lèvres maintenant grandes ouvertes de sa victime, le cri qu'elle ne pouvait ou ne voulait pas pousser retentit enfin. Son amant retire alors un objet qu'elle ne peut voir de la poche de son manteau, car elle est toujours aveugle. Puis, le foulard qui lui enserre le visage disparaît, remplacé par l'étrange objet que Philippe lui enfonce dans la bouche. Il semble que ce soit un cylindre de bonne dimension et très dur, probablement fait en verre ou en métal. Mais Philippe le retire aussi subitement qu'il l'a placé et l'introduit plus bas sans ménagement, là où elle le veut désespérément. Il lui fait ensuite l'amour lentement avec cet objet, pour lui permettre de s'accoutumer à sa taille imposante; puis, plus rapidement, plus intensément jusqu'à ce que Michèle sente sa jouissance imminente. Philippe le retire alors une fois de plus et le lance contre le mur, où il se fracasse en mille morceaux...

Le bruit à peine perceptible d'une fermeture éclair, que Philippe descend avec une lenteur démente, agace sa proie, qui grogne d'impatience. Son corps glisse alors sur Michèle pour venir s'agenouiller, juste au-dessus de son visage. Enfin! Il la force à ouvrir la bouche qu'il envahit sans merci, ce qu'elle accepte avec gratitude. Il se pousse en elle assez profondément pour lui bloquer la gorge, faisant de nouveau jaillir des larmes sur son visage. Elle glisse péniblement sa langue autour de lui, l'aspire du mieux qu'elle le peut. Elle a mal, elle a soif de lui et souffre d'un plaisir effrayant.

— Tu aimes ça, hein ? C'est dommage.

Il se relève d'un bond. Puis, il descend du lit et quitte lentement et délibérément la chambre.

— Au revoir, Michèle.

— QUOI ! Reviens, reviens ici tout de suite !

La porte de l'entrée se referme dans un grincement, et une bouffée d'air froid se faufile jusqu'à la chambre. Il est parti ! Qu'a-t-elle fait pour mériter cet abandon ? Pour qu'il l'ait laissée là, attachée, pantelante de désir et au bord de l'orgasme le plus puissant de sa vie ? Le salaud ! Le silence qui entoure Michèle est terrible.

— Tu croyais vraiment que je te laisserais là ? dit soudain Philippe, revenu comme par miracle dans la pièce.

Et il recommence à la caresser brutalement. Il la pénètre de ses doigts, tout en pinçant et en mordant son corps tout entier. Michèle n'y tient plus. Elle jouit malgré elle.

— Tu ne m'as pas demandé si tu pouvais jouir. Tu n'en avais pas le droit tout de suite !

Il reste immobile un tout petit instant.

— Je vais être obligé de te punir.

Il retourne sa femme sur le ventre, lui soulève le bassin et entre en elle d'un coup sec, sans aucune précaution. Elle croit exploser. Jamais Philippe ne lui a fait l'amour si violemment, si rudement, et elle l'adore. Elle le supplie de continuer et de continuer encore, de ne jamais s'arrêter. Il se penche sur elle et lui saisit les seins par-derrière, les écrasant et les griffant de ses doigts. Il s'insinue aisément jusqu'au plus profond de son corps. Elle sent qu'il lui rompt les fesses et les cuisses et se laisse écraser par le poids de son corps. Elle jouit une autre fois, puis une autre encore. Il s'active toujours en elle sans pitié et elle est envahie de tout son être, remplie, soumise… Son corps se contracte à nouveau sous le coup d'une jouissance qui lui semble éternelle, forçant son amant à accélérer sa cadence et à la pénétrer à fond jusqu'à ce qu'il jouisse à son tour, se répandant interminablement sur le dos fourbu de sa partenaire, ses fesses et ses cuisses épuisées.

Ils sont exténués, à bout de souffle et flottent dans une léthargie empreinte d'irréalité. « Si c'était un rêve, songe Michèle, je viens de battre toutes mes expériences en solitaire d'un seul coup ! » Philippe lui détache doucement les poignets et s'étend près d'elle. Ses sentiments mériteraient d'être analysés, mais elle est vidée, comblée. Elle s'endort presque en même temps que lui, et les dernières choses dont elle se souvient avant de sombrer dans le sommeil sont la douleur diffuse qu'elle ressent dans tout son corps et les derniers soubresauts de plaisir qui la secouent.

Le lendemain matin, Michèle s'éveille en inspirant l'odeur du café. Le soleil resplendit et la tempête a laissé les fenêtres givrées et peintes de cristaux plus beaux les uns que les autres. Philippe, le Philippe qu'elle a toujours connu, vient la retrouver avec un magnifique petit-déjeuner. Il a retrouvé son allure de tous les jours, celle du professionnel en peignoir de velours, à la voix douce et tendre. Il regarde son épouse amoureusement, un nouvel éclat au fond des yeux...

Il pose un léger baiser sur son front. Sur le plateau, en plus d'un repas somptueux, se trouve un magnifique bouquet de lys blancs avec une petite carte. Elle est décorée de petits dessins fades de fleurs roses, de rubans et de petits oiseaux. Et à l'intérieur, est écrit un banal : « *Je t'aime. Philippe* ».

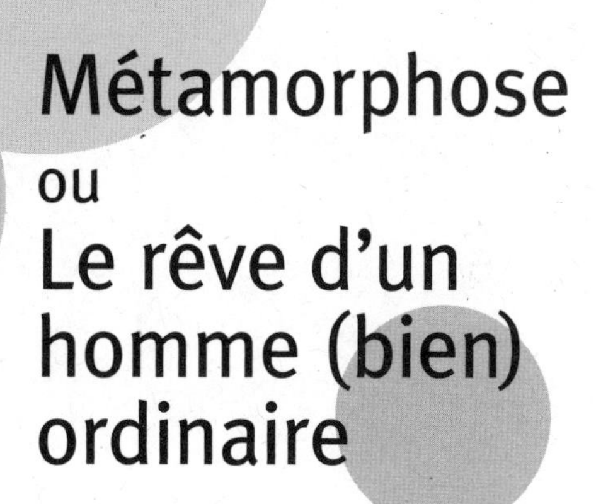

# Métamorphose
# ou
# Le rêve d'un homme (bien) ordinaire

Bernard n'a jamais vraiment su ce qui s'était passé... et il serait juste de croire que cela lui importait peu. Tout ce qu'il savait, c'est que ce n'était pas seulement le changement presque instantané qui s'était produit en lui et sur lui qui était extraordinaire, mais aussi, sinon plus, les conséquences de ce changement...

Il ne voulait toutefois pas (surtout pas!) se poser trop de questions quant aux causes de cette transformation. Cela aurait été inutile et lui aurait fait gaspiller un temps précieux... Tout ce qui lui importait, c'était que son rêve (le rêve de tout homme ordinaire), son aspiration la plus puissante s'était réalisée du jour au lendemain: il s'était transformé de crapaud rondelet et myope en un véritable Don Juan. Pourtant, Bernard n'a jamais cru aux miracles... Et ce souhait, il le traînait secrètement et lamentablement depuis sa plus tendre enfance.

Certes, il n'était pas si laid que cela, avant. Mais là! Il n'y avait pourtant pas eu d'éclairs foudroyants ni de tonnerre assourdissant. La main de Dieu n'était pas venue lui caresser la tête dans un geste de bonté divine... pas du tout. C'était arrivé sans prévenir, comme ça, un bon matin!

Il s'était couché autour de minuit et avait bu, comme presque tous les soirs, quelques petites bières pour l'aider à se détendre, laissant son cerveau s'engourdir devant des comédies plus ou moins insipides à la télévision. Et, le lendemain matin, BANG!

Le tout s'était fait sans la moindre douleur, sans sensation particulière. En se rendant aux toilettes pour faire sa besogne habituelle en se levant, il n'avait pas prêté attention à l'image que le miroir lui renvoyait. Ce n'avait été qu'après son premier café et en allant se raser qu'il avait cru, vraiment cru, qu'il rêvait: un étranger le regardait d'un drôle d'air... Un étranger qui n'avait pas les yeux bouffis ni de mèches folles lui encerclant lamentablement le visage, comme c'était le cas tous les matins. Cet étranger avait cependant un air très familier. Car c'était bien lui... en version superaméliorée!

La première chose que Bernard avait vraiment remarquée, ce matin-là, avait été sa chevelure. Celle qu'il voyait, impuissant, quitter le doux épiderme de son crâne (inéluctablement et pour toujours), s'était métamorphosée en une voluptueuse crinière à rendre Samson vert de jalousie. Et ce n'était là qu'un détail parmi d'autres. Il avait en effet ensuite constaté que l'affreuse moustache qui avait en partie causé son divorce s'était effacée et que les contours de son visage, dont il connaissait les courbes vagues et molles, s'étaient aiguisés, transformés en angles des plus séduisants. De plus, son corps semblait s'être subitement allongé. En vérité, ce n'étaient que les quelques kilos en trop lui enserrant amoureusement la taille et prenant une expansion inévitable tous les ans qui avaient fondu comme neige au soleil. Ses épaules avaient aussi pris une carrure divine, ce qui lui avait fait prendre conscience qu'il devrait dorénavant porter des vêtements plus amples. Son ventre s'était pour sa part aplati et doté de superbes abdominaux, et sa poitrine, qui jadis était d'une pâleur laiteuse et lisse comme les fesses d'un bébé, s'était recouverte d'une toison virile qui lui permettrait, enfin, de se balader torse nu si l'occasion venait à se présenter... Mais, ces changements n'étaient pas ce qu'il y avait de plus extraordinaire...

Non, le plus extraordinaire, c'était son pénis. Bernard le savait flasque et inefficace depuis si longtemps... Or, ce dernier s'était dressé tout à coup de toute sa hauteur, prêt à toute intervention, et il avait atteint une grosseur comme son propriétaire n'en avait vu que dans les films pornos les plus pervers... Sa petite queue idiote venait ainsi de se métamorphoser en une véritable arme fatale, un engin d'amour, un danger public! Et ce danger public attendait impatiemment qu'il en fasse quelque chose, de toute évidence...

Notre bienheureux métamorphosé avait réussi tant bien que mal à supporter le choc, si agréable fût-il, et à se préparer pour une autre journée au bureau. Les nombreuses questions qui lui traversaient l'esprit lui avaient semblé bien secondaires quand, en enfilant son pantalon, il avait senti l'objet de sa nouvelle fierté protester contre le manque d'espace.

En sortant de chez lui ce matin-là, puis tous les matins suivants, Bernard avait enfin connu le sens du mot «bonheur». Il adressait même, chaque soir, de petites prières à toutes les divinités qui lui venaient en tête (et vraiment TOUTES), pour que celle qui avait eu tant de bonté à son égard ne l'abandonne pas ou, du moins, bénéficie de sa profonde gratitude.

En effet, sa vie n'avait plus été la même depuis ce jour béni. Pour la première fois, les femmes, et il s'agissait bien de femmes à faire tourner toutes les têtes, lui tombaient littéralement dans les bras. Lui qui jadis n'aurait jamais pensé attirer l'attention d'une seule de ces sirènes, il se surprenait soudain à échanger avec elles des sourires plus aguichants les uns que les autres.

Juste après sa métamorphose, par exemple, il attendait patiemment au feu rouge quand il avait perçu un mouvement du coin de l'œil. Il s'était retourné et avait vu, dans une petite voiture sport rouge vif, une superbe blonde au rouge à lèvres assorti à sa voiture qui lui souriait à pleines dents. Elle lui soufflait de petits baisers de ses lèvres humides, sa poitrine voluptueuse se soulevant au rythme de ses effusions. Inutile d'essayer de décrire la joie qu'avait éprouvée Bernard à cet instant précis. Il aurait tout fait pour qu'elle le suive jusqu'à un petit motel discret, mais il avait rendez-vous avec Christelle, une adorable rouquine qu'il avait rencontrée quelques jours plus tôt.

Mais comment choisir? Bernard avait l'impression d'être projeté dans l'univers d'un adolescent encore vierge qui se serait fait enfermer dans une prison pour femmes dont les occupantes, assoiffées de sexe, auraient désiré faire son éducation... Il se demandait sans cesse, au début: «Et s'il s'agissait d'une bonne, d'une très bonne fée, qui aurait décidé de me jeter un sort? Une fée superbe au corps à faire damner un saint et qui m'aurait rendu conforme à son idéal, afin de faire de moi son partenaire sexuel jusqu'à la fin des temps?» Ce à quoi il se répondait, toujours intérieurement: «Si tel est le cas, la bonne fée a le pouvoir d'annuler son sort quand bon lui semble. Alors, autant en profiter sans attendre...»

Donc, cette fois-là, il avait honoré Christelle de sa présence et de ses attentions. Et elle, de son côté, lui avait fait de ces choses! Il faut dire que comme son organe amélioré réagissait avec une ardeur nouvelle à laquelle il avait de la peine à s'habituer, il ne voulait pas le frustrer. Il avait donc pris la belle femme à quatre reprises au cours de cette nuit inoubliable, jusqu'à ce qu'il sente que sa queue (aussi résistante et performante fût-elle) allait tomber. Il avait abusé du corps superbe et plus que consentant de la rouquine durant des heures entières, explorant chaque recoin, chaque orifice. Elle s'offrait à lui sans la moindre inhibition, le chevauchant, prenant les devants et hurlant son plaisir devant ses prouesses exceptionnelles.

Le lendemain matin, il avait quelques irritations et était fatigué, mais bien disposé à recommencer. C'est à ce moment-là qu'il avait eu une idée. Après un bref examen de sa situation financière, Bernard avait conclu qu'il pouvait se payer une petite gâterie. Il ne se rappelait pas la dernière fois où il avait profité de sa vie de célibataire. Ses dernières vacances, il les avait passées à essayer de trouver un terrain d'entente avec Janine pour rapiécer leur mariage. Tout cela pour qu'elle finisse par s'en aller en emmenant la petite. Alors...

Il avait ainsi décidé de se procurer sur-le-champ un billet pour une croisière entre Miami, les Bahamas et Cuba. Il ne savait cependant pas encore qu'il n'aurait jamais la chance d'utiliser la deuxième portion de ce billet, les plans ayant quelque peu changé en cours de route.

Au moment présent, Bernard se remet lentement du choc de sa rencontre avec Judy et de ce qu'elle a jusqu'alors comporté de sensuel, de merveilleux et de fascinant. Il flotte béatement sur un petit voilier voguant sur une mer calme et turquoise, quelque part au large de Key West, dans le golfe du Mexique. Des poissons argentés glissent à l'occasion entre ses pieds bronzés, et il peut entendre de joyeux éclats de rire autour de lui.

Il a rencontré Judy sur le *Sea Queen*, lors de la traversée. Elle travaillait comme hôtesse pour la saison estivale, avant de reprendre ses études à l'automne. Les premières journées de Bernard à bord s'étaient résumées à se prélasser au soleil tout près de la piscine, à admirer cette mer éblouissante, à lire des polars et à regarder avec une admiration sincère sa peau, qui jadis rougissait à la première tentative de bronzage et maintenant prenait une belle teinte dorée. Le bateau était somptueux, mais cela le laissait indifférent. Il veillait davantage à être entouré de jeunes beautés bronzées, aux corps enduits de crème solaire, aux gestes gracieux, au sourire facile et à la conversation légère. Rien à redire, quoi !

Il s'était fixé des limites. Il désirait savoir combien de temps il pourrait attendre avant de goûter à l'une de ces poulettes, se contentant, pour le moment, d'adresser de petits sourires coquins à l'une ou des œillades approbatrices à l'autre. Mais il y en avait une qui bousculait particulièrement ses hormones: Judy. Il n'avait pas encore eu la chance d'entamer une conversation avec elle, mais il l'avait déjà remarquée (tout homme en aurait fait autant, d'ailleurs). Et voilà qu'elle s'était allongée sur la chaise voisine de la sienne, vêtue d'un bikini d'un blanc éclatant révélant un corps élancé, musclé et gracieux. Elle l'avait aveuglé par son sourire engageant révélant des dents de porcelaine, puis lui avait demandé, d'un air faussement timide, de lui huiler le dos. Il ne s'était évidemment pas fait prier et avait hoché la tête en guise de réponse.

— *Are you American?* lui avait-elle dit pour engager la conversation.

— Non, heu... no. *From Montreal.*

— Tou es Français?

— Oui...

— C'est si... *cute*!

Il n'avait jamais rien trouvé de mignon à son accent auparavant, mais il n'allait certainement pas la contredire. Il avait alors remarqué l'étrange médaillon qu'elle portait: une solide chaîne en argent, à laquelle était suspendu un pendentif en forme de larme d'environ trois centimètres. Il lui avait demandé ce que c'était et, à sa grande surprise, elle avait rougi:

— C'est une sécret...

Malgré sa curiosité, Bernard n'avait pas posé d'autres questions. Ses yeux étaient bien trop occupés, d'ailleurs... Judy avait ce genre d'apparence faisant rêver tous les hommes en âge de bander: grande et mince, la démarche souple et féline, la peau soyeuse et bronzée juste à point, de longs cheveux blondis par le soleil (peut-être un peu, aussi, par les colorants), des yeux bleus pétillants et des dents qui avaient dû rendre un dentiste très riche... Bref, le genre de sirène qui mettait Janine, son ancienne femme, dans une colère presque comique tant elle était irrationnelle, la faisant même parfois baver de rage et de jalousie.

Avant sa métamorphose, Bernard aurait rougi jusqu'aux oreilles en croisant une telle fille dans la rue. Il aurait alors voulu disparaître pour ne pas voir ces beaux yeux se poser sur une vieille grenouille comme lui. Mais les choses avaient bien changé, à présent! Après avoir laissé la main tremblante de reconnaissance du vacancier frotter l'huile à bronzer sur son dos appétissant, elle lui avait demandé sans préambule et pour son plus grand plaisir:

— Tu être marié?

Cet accent américain avait fait frémir le bout de sa queue impétueuse. Il n'avait pas perdu une seconde avant de répondre:

— Divorcé... et heureux de l'être!

Elle avait esquissé un petit sourire, l'air un peu perplexe, comme si elle n'avait pas tout à fait compris. Il avait alors répété sa phrase dans un anglais très approximatif, et elle avait souri plus franchement. Elle lui avait ensuite raconté qu'elle était étudiante à l'université de Miami et qu'elle adorait cet emploi, qu'elle avait déjà depuis trois étés et qui l'aidait à payer ses études. Elle était hôtesse: elle accueillait les passagers, s'assurait de leur satisfaction et du confort de leur cabine. Bref, elle veillait à ce que tout soit en ordre pour que les clients aient une croisière agréable. Par conséquent, elle passait la majeure partie de la traversée à régler de petits problèmes mineurs et à se faire dorer au soleil. Comme elle avait participé à la planification de plusieurs activités, elle lui avait rappelé qu'il y avait, ce soir-là, une soirée dans le but d'aider les passagers à ne pas voir fondre toutes leurs économies, une fois arrivés aux Bahamas. Puis elle avait conclu, en soupirant, qu'elle espérait bien l'y voir... Il s'apprêtait à répondre avec enthousiasme quand une petite sonnerie avait retenti, obligeant Judy à se lever pour répondre à cet appel.

.........

— Je dois partir... *I'll see you tonight*?

— Oui, ce soir...

Bernard était resté quelque temps au bord de la piscine, à admirer le paysage qui s'offrait à son regard. Mais il désirait avoir une apparence soignée pour cette soirée qui s'annonçait prometteuse. Aussi avait-il opté pour le gymnase, afin de gonfler un peu ces muscles qui l'étonnaient encore chaque fois qu'il se regardait. Ensuite, il avait requis les services d'une masseuse pour le détendre et, enfin, ceux du coiffeur pour donner à sa nouvelle chevelure toute sa splendeur.

Il avait dîné tôt, puis s'était rendu à sa cabine, afin de se changer et d'offrir à Judy l'homme irrésistible auquel elle n'avait pu, jusqu'à maintenant, que rêver. Un coup de téléphone, et le fleuriste lui avait apporté un énorme bouquet qu'il comptait offrir à Judy lorsqu'elle le raccompagnerait à sa cabine, brûlante de désir, déjà amoureuse et impuissante devant son charme divin. Il avait aussi fait monter une bouteille de champagne, qu'il avait placée soigneusement au réfrigérateur, un sourire gourmand aux lèvres. Il avait enfin revêtu son plus bel habit, s'était aspergé de quelques gouttes d'eau de Cologne assortie à sa lotion après-rasage et était parti pour une conquête qu'il devinait certaine.

Arrivé à la réunion, il l'avait remarquée tout de suite en arrivant au bar. Il aurait d'ailleurs été difficile, voire inhumain, de faire autrement. Elle portait un fourreau de satin blanc qui moulait son corps au point de voir, sans effort, qu'elle n'avait ni soutien-gorge ni petite culotte, ou alors ceux-ci étaient si minuscules qu'ils ne laissaient rien paraître. Bernard avait passé une langue impatiente sur ses lèvres soudain sèches, alors que d'un petit signe de la tête, elle l'avait invité à la rejoindre.

Il avait réussi tant bien que mal à marmonner qu'elle était *beautiful*: le seul adjectif anglais qui lui était venu à la tête. De son côté, elle lui avait répondu qu'il était très *handsome*. Bon, elle le trouvait séduisant, tout s'annonçait pour le mieux! Le tenant élégamment par le bras, elle lui avait demandé s'il était déjà allé au casino. Il lui avait dit que oui... sans toutefois avouer qu'il avait perdu, cette fois-là, deux cents dollars en moins d'une heure... Toutefois, il n'était encore, à cette époque-là, qu'un homme grassouillet et sans envergure... Elle en était enchantée! Et avait conclu qu'ils n'avaient pas besoin de rester là... D'une main légère, elle avait entraîné Bernard à l'extérieur puis, plus loin, tout à l'avant du navire. La musique des différents bars et restaurants était, à cet endroit, beaucoup moins audible. L'air de la nuit, d'une douceur incroyable, était agrémenté d'une chaude brise saline.

Le pont était, fait rarissime, désert. Les activités ne venaient, après tout, que de commencer. Elle avait lâché sa main, s'était collée tout contre lui, avait saisi son cou puissant et l'avait embrassé. Tout cela sans un seul mot. Toute résistance aurait été futile... et stupide! Un genou de satin blanc avait glissé entre les jambes flageolantes de Bernard, frottant son sexe qui n'avait pas dérougi depuis qu'il l'avait aperçue en arrivant au bar. Elle avait ensuite poussé un petit soupir d'appréciation et murmuré:

— *I want you...*

Affirmation inutile, s'il en était! Bernard l'avait aussitôt embrassée à perdre haleine et tenté, en vain, de l'entraîner vers sa cabine. Judy faisait non de la tête, lui intimant de la suivre. Il avait obéi comme un bon chien le fait instinctivement avec son maître... et comme un bon homme avec sa queue.

Il avait bientôt compris que Judy se dirigeait vers le gymnase. Ce dernier était fermé à cette heure tardive, et Bernard se demandait ce qu'elle pouvait bien vouloir y faire. Elle avait alors sorti un énorme trousseau de clés de son petit sac, avait ouvert la porte de la salle de sport le plus silencieusement possible et l'avait poussé doucement jusqu'à la pièce dans laquelle se trouvaient les bains tourbillons. Comme ils étaient dans la section la plus haute du navire, fermée pour la nuit, les nouveaux amants étaient seuls. Bernard avait bien tenté de dire à sa conquête qu'il avait du champagne au frais dans sa cabine, mais elle s'était aussitôt dirigée vers un comptoir faisant office de bureau d'accueil, y avait choisi une nouvelle clé et avait pénétré dans un petit bureau. Elle en était rapidement ressortie avec deux coupes et une bouteille trônant dans un seau à glace.

Elle avait ensuite rempli le verre de Bernard, avant de disparaître de nouveau derrière un comptoir. Quelques secondes plus tard, de gros tourbillons étaient apparus dans l'eau chaude du bain. Judy avait alors fait s'étendre son partenaire sur une des chaises avoisinantes et, se plaçant devant lui, avait commencé à onduler son corps satiné, laissant les reflets de la lune danser sur sa robe enivrante. L'une de ses mains s'était bientôt insinuée derrière son dos, faisant glisser la fermeture éclair retenant son corps dans sa prison de satin. Elle s'était tenue devant lui un moment sans bouger, ne portant que ses chaussures et son étrange médaillon. Puis elle s'était retournée, le laissant admirer sa croupe dorée, avant de descendre dans le bain qui lui avait tout à coup semblé des plus accueillants. Bernard s'était aussitôt empressé de retirer ses vêtements, en essayant toutefois de ne pas laisser transparaître sa hâte. Il ne voulait surtout pas avoir l'air d'un idiot en trébuchant sur son pantalon... ce n'était pas le moment! C'était d'ailleurs sans doute ce que l'ancien Bernard aurait fait.

La température de l'eau était idéale. Mais Judy ne lui avait pas permis de s'y immerger tout de suite. Elle lui avait plutôt fait descendre quelques marches puis avait arrêté son geste. Elle l'avait ensuite aspergé de ses douces mains... Il avait fermé les yeux et senti la langue de sa charmante hôtesse lécher timidement le bout de sa queue, puis ses lèvres se resserrer sur son gland, l'emprisonnant dans une délicieuse chaleur et effectuant une légère rotation autour de lui. À cet instant précis, Bernard aurait voulu s'enfouir plus profondément dans sa bouche, même si pour ce faire il devait l'étouffer. Mais elle l'en avait empêché fermement, se contentant de lui masser les fesses, avant de descendre plus bas pour saisir ses lourdes testicules d'une poigne légère. Elle l'avait ensuite aspergé un peu plus et l'avait fait se retourner pour lui lécher les fesses, le dos, les fesses de nouveau, entre les deux... Il avait de la peine à rester debout et ses genoux fléchissaient d'excitation.

Judy s'était par la suite placée à nouveau devant lui et, sans attendre, avait pris sa verge tout entière dans sa bouche tiède. Elle savait vraiment comment s'y prendre ! Elle avait glissé lentement de haut en bas, puis de bas en haut, serrant ses lèvres autour de son phallus, l'embrassant de sa langue. Ses dents le touchaient avec juste assez de force pour arracher à Bernard de petits cris de plaisir, tandis que ses mains lui agrippaient les fesses solidement. Elle avait ainsi torturé son amant encore quelques minutes, ce qu'il l'avait laissé libre de faire sans dire un mot. Il réussissait bien, pour le moment du moins, à apprécier ce traitement et ne désirait pas se presser.

C'était à ce moment-là qu'il avait senti quelque chose lui chatouiller la jambe. Il n'y avait pas prêté attention immédiatement, la bouche magique de Judy le tenant suffisamment occupé. Elle lui massait toujours les fesses, l'aspergeant d'un peu d'eau de temps en temps. Elle s'était arrêtée pendant un bref moment, et il l'avait vue lécher quelque chose de brillant. Il avait alors très vite compris ce dont il s'agissait, mais ne savait pas du tout ce que Judy comptait réellement faire... La main gauche de la belle hôtesse lui avait alors écarté doucement les fesses, tandis que la droite glissait plus subtilement, insidieusement. Bernard avait soudain senti le médaillon s'enfoncer en lui et la surprise l'avait presque fait jouir. Judy avait enroulé la chaîne du collier autour de ses doigts et avait glissé le pendentif en lui lentement, doucement, le retirant avant de l'insérer de nouveau. Tout cela sans interrompre le traitement divin que lui procurait sa bouche au même moment!

Bernard s'était senti les jambes molles et les genoux sur le point de flancher. Son plaisir était si intense qu'il craignait de s'échapper en atteignant un orgasme involontaire comme dans son ancienne vie, ce qui l'aurait fait du même coup mourir de honte... Il s'était donc concentré sur cette image de malheur et avait ainsi pu s'empêcher de jouir, du moins temporairement. Il savait que ses couilles étaient sur le point d'exploser, et son ventre entier était en proie à des spasmes de plaisir d'une intensité qu'il n'avait jamais soupçonnée. Judy avait de plus tant et si bien accéléré sa cadence qu'il avait dû se dégager brutalement, avant d'exploser dans sa bouche. Cette perspective n'était pas, en soi, à dédaigner, mais il désirait entrer en elle, la posséder, la faire crier de désir, la faire frissonner de plaisir comme elle l'avait fait pour lui.

Il était donc descendu la rejoindre et l'avait fait s'asseoir sur une des marches, jusqu'à ce que son sexe soit à portée de ses lèvres. Le contact de l'eau chaude sur sa queue lui avait fait prendre conscience qu'il voulait être en elle, MAINTENANT, et c'est ce qu'il avait fait. Une fois bien ancrée, Judy s'était un peu soulevée afin de les faire flotter, les transformant tous les deux en êtres sans poids ni substance. Bernard n'avait qu'une seule sensation, celle de sentir que sa queue allait exploser d'une seconde à l'autre... Sa maîtresse, elle, flottait sur le dos tandis qu'il était agenouillé au fond du bain. Il l'avait alors attirée vers lui, sur lui, créant d'autres tourbillons dans le bain. Puis, finalement, sans qu'il ne pût rien y faire, il avait joui pendant ce qui lui avait paru une éternité, sa queue submergée dans les profondeurs de l'eau chaude et du corps enflammé de cette femme, ne sachant plus très bien s'il était encore en elle...

Judy avait accepté de passer le reste de la nuit dans sa cabine. Si bien qu'au réveil, il était presque persuadé d'être follement amoureux.

Mais la belle hôtesse l'avait par la suite fait languir pendant trois longs jours. Elle semblait même l'éviter... Puis un beau matin, il avait trouvé une petite note sur sa table de chevet, au moment où le paquebot devait accoster à Cuba. Judy lui avait écrit de n'emporter que ses objets personnels et quelques vêtements, et de la retrouver sur le quai, à l'arrivée. Bernard se demandait ce qu'elle pouvait bien avoir en tête... À cette seule pensée, son léger pantalon de coton s'était gonflé d'une érection instantanée. Il se rappelait trop bien de la magnifique soirée passée avec elle.

Elle l'attendait sur le quai, vêtue d'une simple robe blanche et portant un grand sac de toile à l'épaule. Elle lui avait donné un chaste baiser sur la joue, l'avait pris par la main et guidé d'un pas ferme jusqu'à un superbe voilier accosté juste à côté. Elle lui avait confié que ce dernier appartenait à une copine, qu'ils partaient tous les trois jusqu'à Key West et qu'elle ferait envoyer ses valises où il le désirerait par la suite.

Le trio avait ainsi quitté Cuba avant même que tous les autres passagers du navire n'aient mis pied à terre. Ils vogueraient sur une mer chaude et turquoise, à bord de ce superbe voilier. Attention, ce n'était pas une vulgaire coquille de noix. Oh que non! Tout y était, au contraire. Il pouvait loger confortablement six personnes et contenait tous les accessoires et le matériel nécessaires à une longue croisière. Bernard avait très vite découvert en Judy une navigatrice accomplie, et en sa copine Liana, une capitaine fort compétente... et appétissante. Mais il n'avait d'yeux que pour Judy, sa blonde américaine qui lui promettait, à coup de clins d'œil aguicheurs et de petits baisers mouillés, une croisière des plus plaisantes.

Liana était le contraire de Judy. Cubaine, elle avait des cheveux de jais tombant en cascade jusqu'à la taille. Elle était petite et tout en courbes, et ses seins, bien fournis, étaient à peine retenus par son bikini. Elle arborait des hanches rondes, un peu fortes même, qu'elle savait faire onduler de la plus charmante façon et des jambes solides bien que gracieuses. Ses yeux étaient aussi noirs que ses cheveux, et sa peau mate, couleur de sable humide, évoquait un fruit exotique bien mûr. Comme il se sentait comblé, Bernard n'osait pas s'attarder sur ses charmes trop longuement, ne voulant d'aucune façon déplaire à sa chère Judy. Mais c'était elle qui avait abordé ce sujet de but en blanc :

— Tou la trouve… *beautiful*?

— Pas autant que toi…

— Moi, je trouve elle très beau… *I mean,* très belle. Tu peux dire si toi aussi.

— Oui, dans un genre très différent, bien sûr, elle est très belle…

Le voilier voguait depuis assez longtemps pour que ses passagers aient complètement perdu la terre de vue. Ils étaient seuls au monde, perdus dans un univers d'eau salée, de mer et de soleil. Bernard nageait en plein bonheur et souhaitait de tout son cœur que la gentille fée qui l'avait métamorphosé ne choisisse pas ce moment pour lui rendre l'apparence de la chose pathétique qu'il était auparavant. Mais pourquoi s'attarder sur de si sombres pensées quand on navigue en plein bonheur avec le genre de fille qu'on a toujours rêvé de côtoyer — et une autre qui commence à être définitivement alléchante — ? Une fille qui, de plus, se baladait pendant plusieurs heures presque nue, en vous offrant de la bière glacée, de chauds baisers et des promesses muettes mais très explicites ?

Le voici donc dans sa position du début de cette histoire, les pieds dans l'eau turquoise, aux anges. Le jour de ce départ improvisé en voilier, la capitaine a jeté l'ancre vers midi et les trois occupants du bateau ont décidé, en se surprenant à rire comme des enfants turbulents et espiègles, de plonger dans cette merveille translucide qui les entourait. Ils ont retiré leurs vêtements et se sont retrouvés dans une eau délicieusement tiède, regardant de jolies bestioles colorées flotter entre deux eaux. C'est alors que Judy s'est approchée de Bernard, l'a regardé fixement et lui a dit avec un petit air timide :

— Ne soit pas... *mad*. Je n'ai pas voir Liana depuis un long temps...

Sur ces mots, elle a nagé en direction de Liana, et toutes deux ont commencé à se chamailler, à s'arroser, à se pincer et à rire aux éclats. Après un moment, elles se sont accrochées l'une à l'autre... et se sont embrassées ! Passionnément... Les lèvres de Judy semblaient boire celles de Liana, tandis que, enlacées, elles commençaient à se prodiguer des caresses de plus en plus précises.

À ce moment précis, Bernard a cru dur comme fer être mort sans s'en être rendu compte et être arrivé au paradis. Il pouvait voir, à travers l'eau si claire, sa queue réagir à cette tournure inattendue des événements. Il n'osait pas les approcher, de crainte d'interrompre leurs ébats et de rompre ce charme magique. Les deux naïades, toujours l'une contre l'autre, se sont rendues jusqu'au voilier, afin de pouvoir prendre pied sur l'échelle tout en gardant leurs corps submergés. Décidément, Judy avait un penchant pour l'eau !

Liana était maintenant appuyée contre l'échelle et Judy, cramponnée à la corde, prenait un soin extrême à effleurer la poitrine de Liana de ses petits seins fermes, leurs bassins se frottant l'un contre l'autre en une valse insoutenable. Leurs baisers se faisaient insistants, leurs dents laissant des empreintes sur leur peau bronzée. De voir ainsi deux paires de seins superbes l'une contre l'autre, les pointes bien dressées, a eu sur Bernard un effet dévastateur. Il devait impérativement s'asseoir ou prendre appui quelque part… sinon, il coulerait à pic. Il en oubliait même de respirer.

Les deux femmes ont compris son émoi en le voyant approcher. Judy lui a souri affectueusement et a fait signe à Liana de monter. Celle-ci s'est retournée et a fait une petite pause pour permettre à Judy de lui caresser les seins plus fermement, avant d'entreprendre son ascension à bord.

Elle n'avait pas gravi trois échelons que Judy l'a retenue et attirée vers elle. Liana a soulevé une jambe pour s'offrir à sa compagne, rebondissant et descendant un peu ses fesses pour lui faciliter la tâche. Le visage de Judy s'est aussitôt enfoui entre les cuisses tendres et brunes de l'autre femme, pour la lécher de sa petite langue gourmande. C'en était trop ! Bernard s'est collé contre le dos de Judy avec l'intention bien arrêtée de lui apprendre ce que de telles choses pouvaient provoquer en lui. Il s'enfoncerait en elle sans la prévenir, un point c'est tout… Mais elle a deviné son geste et est allée rejoindre Liana, le laissant là, pantelant et bandé à en éclater, avec une vue incomparable de deux arrière-trains de femme au-dessus de sa tête. Il s'est bien sûr empressé de monter les rejoindre.

Liana s'est de son côté rapidement jetée sur Judy, qui n'a pas le moins du monde protesté, et l'a couchée de tout son long sur le pont en bois du voilier. Elles se sont étreintes pendant un moment, roulant l'une sur l'autre, leurs jambes se faufilant entre leurs cuisses, leurs sexes se frottant l'un contre l'autre. Les gros seins de Liana écrasaient ceux, plus menus, de Judy. Puis la Cubaine s'est soulevée. Libérée de son poids, Judy a entrepris de laper et de sucer les seins de sa partenaire doucement. Elle s'est relevée encore davantage, en écartant bien les cuisses de son amie. Sa langue chaude est descendue la lécher et la taquiner un moment, jusqu'à ce que la Cubaine choisisse de s'étendre de nouveau sur elle, laissant leurs jambes, leurs langues et leurs cheveux mouillés s'entremêler, sous le regard attentif de Bernard, en extase.

C'est alors que Liana lui a fait signe d'approcher, sans toutefois lui permettre de toucher ni d'effleurer sa maîtresse. De ses doigts sombres, elle a caressé les lèvres roses de Judy, exposant son intimité rasée aux chauds rayons du soleil. Le clitoris de l'hôtesse était bien gonflé et palpitant. Liana s'est jetée dessus de tout cœur, penchant la tête de côté afin de permettre à Bernard d'admirer le spectacle. Après sa langue, Liana a enfoui ses doigts souples profondément dans le vagin de Judy, la faisant gémir doucement. Celle-ci a joui presque immédiatement. Bernard, de ses yeux de mâle, a pu voir surgir la jouissance à travers les replis spasmodiques du sexe de sa compagne, et il a voulu y goûter... ce qu'on lui a aussitôt refusé.

Sa frustration a alors grandi et s'est aggravée au même rythme que son excitation. Mais il n'était pas au bout de ses peines... Judy s'est bientôt relevée à genoux et a attiré Liana vers elle. Les deux amantes se sont embrassées ainsi, face à face, seins contre seins, les minces doigts de Judy explorant cette fois les replis intimes de la Cubaine. Liana s'est ensuite installée sur quelques matelas entassés, et Judy l'a suivie comme un petit chien fidèle, s'est agenouillée devant elle et a goûté la toison noire de son amante.

Cette fois, Bernard était bien décidé, rien ni personne ne pourrait l'arrêter. Il contemplait les fesses de Judy, droit devant lui, et il n'a pas eu à convaincre très longtemps son membre impétueux de les rejoindre. Il a pu juger, d'un coup de doigt rapide, que son intimité était encore très onctueuse et prête à l'assaut, et il est passé à l'attaque. Il s'est lancé en elle de toutes ses forces, comme un taureau dans l'arène, et il l'a entendue gémir entre ses lèvres refermées sur le sexe de Liana. La vue qu'il avait était incroyable. Lui derrière, et la blonde devant la noire... Il a asséné à Judy plusieurs coups brutaux, avant de décider de faire durer le plaisir. Il a donc ralenti sa cadence et a savouré le spectacle.

Comme s'il s'agissait d'un signe, Judy a invité ses deux amants à se retourner un peu sur le côté, pour permettre à Bernard de bien voir le sexe béant de Liana qui ruisselait. Judy a caressé les seins bruns de la Cubaine, les pinçant et les mordillant affectueusement, avant de redescendre vers son sexe. La vue de ses doigts bronzés entre les cuisses de l'autre femme a furieusement fait frémir Bernard, toujours en Judy. Il ne devait ni accélérer ni se toucher, sinon il aurait explosé. Quatre mains habiles ont alors parcouru le corps de la Cubaine, celles de Judy sur ses seins et dans ses cheveux, et celles de Liana sur son propre ventre et ses cuisses. Bernard s'est retiré un moment de la scène, afin de voir clairement leurs deux sexes luisants. Il voulait connaître le goût des deux femmes et savourer leur différence.

Il a tendu une langue avide vers le sexe de Judy, la taquinant de petits coups qui l'ont fait soupirer. Celle-ci s'est alors emparée de sa main et l'a glissée entre les cuisses humides de Liana, qui ne s'y est pas objectée et a entrepris de pénétrer Judy une autre fois de ses longs doigts bruns. Constatant que cette dernière était entre de bonnes mains, Bernard a glissé son visage entre les cuisses de Liana. Son liquide était plus sucré que celui de sa Judy, mais aussi plus suave, comme une épice mystérieuse. Judy a alors décidé d'étendre son amant insatiable sur le dos et a repris sa verge dans sa bouche, tandis que Liana s'agenouillait sur le visage du bienheureux, l'inondant de sa jouissance, tout en continuant à caresser Judy d'un doigt distrait. Après un court laps de temps durant lequel Bernard a cru mourir de plaisir,

Judy s'est relevée, a fait s'étendre Liana devant elle et a à nouveau offert ses fesses à Bernard, ébahi. Il a bien sûr répondu à ses attentes et est entré en elle sans hésiter, conservant sur sa langue le goût fruité de Liana. Il a tenté de se retenir davantage mais, en vain... Il a senti les muscles de son ventre se contracter inexorablement, contrariés de ne pouvoir se laisser aller à la plus imposante décharge de leur vie. Mais il n'était pas question qu'il laisse une telle occasion passer trop rapidement. Il a alors réalisé que ceci n'était peut-être que la première d'une série d'aventures merveilleuses qu'il allait vivre au cours des prochains jours.

Cette perspective lui a instantanément coupé le souffle comme la volonté. Son cerveau ne lui obéissait plus, et il n'était plus que l'esclave impuissant de sa queue et ses couilles. Il savait qu'il perdait la partie, qu'il allait enfin s'abandonner quand...

«PLOUF!»

Il se retrouve à l'eau... de la piscine. La première sensation qu'il perçoit est celle d'une trop douloureuse érection. Il avale quelques litres d'eau, le goût du chlore envahit douloureusement sa gorge et il étouffe, croyant se noyer. Tant bien que mal, sa tête dégarnie refait cependant surface, et il constate avec horreur qu'un terrible coup de soleil recouvre tout le devant de son corps grassouillet. Son maillot trop serré meurtrit sa taille flasque et ses cuisses brûlées.

Ce n'est qu'à ce moment-là que la triste réalité lui saute au visage. La bande de crétins qu'il appelle ses amis l'entoure dans la piscine, en riant à gorge déployée:

«Dis donc... à quoi tu rêvais, le gros? Tu devais être bandé à en éclater pour qu'on voie presque une petite bosse dans ton maillot!»

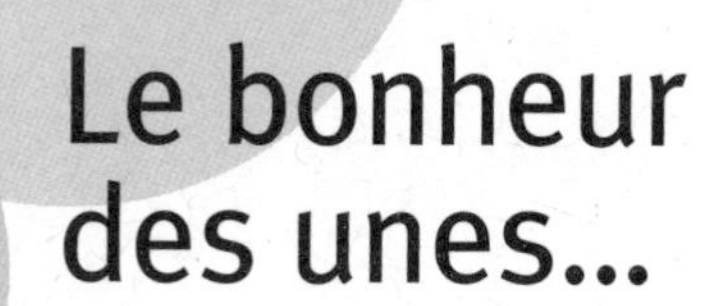

# Le bonheur des unes...

Alex racontait récemment ses déboires à David, bon copain et amant occasionnel. Après l'avoir écoutée vider son sac et lui avoir offert sa solide épaule au cas où elle aurait envie de frapper quelque chose, il lui a répondu :

— On dirait que la sagesse ne t'a pas encore visitée, ma pauvre Alex. À moins que tu ne fasses exprès de te ramasser dans des situations aussi exaspérantes...

C'était en effet l'une des histoires les plus idiotes dans lesquelles Alex s'était jamais retrouvée. Au fil des méandres de sa vie amoureuse, elle avait bien sûr vécu des épisodes plus ou moins heureux. Certains étaient fâcheux, tristes ou carrément exaltants. Mais celui-là remportait la palme !

David et Alex ont été de bons amis dès le début de leurs études. Il a été l'un des premiers à qui elle a annoncé ses fiançailles. Il a assisté à son mariage et l'a consolée lors de son divorce, ainsi que lors de la GRQ — comprendre Grande Remise en Question —, le jour même de ses quarante ans, il y a déjà trois ans de cela. C'est d'ailleurs à ce moment-là qu'ils sont devenus amants. Oh ! rien de compromettant. Seulement deux bons amis qui s'entendent bien au lit et savent se faire plaisir quand les temps sont durs.

Le premier grand drame d'Alex avait sans nul doute été son divorce. Il s'agissait d'un cas classique : fréquentation durant les études collégiales et universitaires, mariage dès l'obtention du diplôme, vie tranquille en banlieue et vlan ! Monsieur était tombé amoureux d'une collègue de seize ans sa cadette. Reprochant à son épouse de n'avoir pas su demeurer l'adolescente dont il était tombé amoureux, il en avait simplement trouvé une autre. Alex lui avait proposé de chercher ensemble l'appui d'une thérapie quelconque et lui avait même suggéré de passer quelque temps avec sa nouvelle dulcinée pour qu'il ait la possibilité de peser le pour et le contre, mais en vain... Tout était déjà décidé. Et il voulait que le divorce soit prononcé le plus rapidement possible, parce que sa conquête avait des scrupules à vivre avec un homme marié! C'était le comble du comble pour Alex, rageuse et persuadée que l'idée en question n'avait sans doute probablement jamais traversé le minuscule organe qui servait de cervelle à cette poulette...

Enfin... elle avait passé les journées précédant son divorce à s'apitoyer sur son sort. Elle vieillissait et n'était plus attirante. Bref, elle n'était plus bonne à rien. S'il n'y avait eu Nathalie, à qui elle devrait une fière chandelle pour l'éternité, elle n'aurait pas tenu le coup... Nathalie, une copine à elle qui avait heureusement pris les grands moyens pour la faire sortir de cette torpeur malsaine. Elle l'avait emmenée dévaliser les boutiques — généralement, une ultime thérapie —, l'avait traînée chez le coiffeur et l'esthéticienne, et lui avait fait faire le tour des bars à la mode pour lui montrer quel effet elle faisait encore sur les mâles. Le résultat avait été très encourageant, somme toute. Alex n'avait rencontré ni l'amour ni la folle passion — qu'elle n'avait jamais vraiment connue, d'ailleurs — mais elle s'était fait draguer impunément toute la soirée et en avait adoré chaque instant. Ce salaud de Jérôme pouvait bien aller se faire voir! Le lendemain, Alex avait pris la ferme décision d'être à l'affût de toute aventure potentielle et de ne rien se refuser. Elle méritait, après tout, tout le plaisir qui lui serait offert.

Il y avait cependant un hic. Aucun de ces mâles en chaleur ne lui disait grand-chose. Ce quelque chose est toutefois arrivé, mais ce n'était pas tout à fait ce à quoi elle s'attendait.

L'été s'était malheureusement écoulé sans incident et, bien entendu, beaucoup trop vite. Alex était allée passer une semaine de détente à la mer avec David. Des vacances très agréables, mais qui ne les avaient pas du tout rapprochés l'un de l'autre, aucun d'entre eux ne le souhaitant vraiment. C'est à la rentrée des classes — le premier jour, en fait — qu'elle a plutôt remarqué Sébastien. Il se tenait là, devant elle, immense et blond comme un dieu grec. Et ses yeux... d'un vert à faire bégayer n'importe quelle femme. Il aurait pu être mannequin, vedette de cinéma ou joueur de football. Mais, fait remarquable et trop rare de nos jours, il avait une tendance adorable à rougir profondément quand on lui adressait la parole. Les hommes trop beaux avaient toujours ennuyé Alex. Mais là, dès le premier regard, elle en a eu le souffle coupé et a ressenti des papillons dans l'estomac. Il avait même réussi à la déconcentrer, c'est pour dire! Elle aurait tout donné pour pouvoir caresser ces incroyables boucles blondes qui lui chatouillaient les épaules. Et — ce qui l'étonne encore aujourd'hui — il a réagi de la même manière qu'elle. Incapable de soutenir son regard, il souriait timidement et semblait avoir perdu sa langue... ce qui aurait été vraiment dommage.

Au premier abord, cette liaison semblait des plus intéressantes. Sébastien représentait tout ce dont toute femme rêve: un coup de foudre inespéré, une passion qui ne demande qu'à s'éveiller et à s'épanouir pleinement. Mais voilà... Alex, qui attendait de vivre un tel sentiment spontané, avait condamné son mari sans vergogne et l'avait accusé d'agir en adolescent attardé, se trouvait maintenant presque dans la même situation. Elle qui l'avait tant ridiculisé. Sébastien n'était pas un nouveau professeur ni même un stagiaire. Oh! que non! Cela aurait été beaucoup trop simple. C'était un étudiant. «Un étudiant d'à peine vingt ans», se disait-elle froidement.

Les choses en sont restées là pendant deux semaines. Deux semaines passées à tenter de le croiser dans le couloir, de l'apercevoir sur les terrains de l'université. Deux semaines à se l'imaginer nu, dans son lit, jouissant à haute voix.

Lorsqu'il était dans sa salle de cours, Alex perdait le fil de ce qu'elle racontait à cette bande d'ignorants dont elle n'avait tout à coup plus rien à faire. Marque d'un manque flagrant de professionnalisme de sa part. En sentant le regard intense du jeune homme glisser sur elle, elle était maintenant convaincue que l'attirance était réciproque. Elle aurait donné n'importe quoi pour sentir ses mains sur son corps. Ce corps qui lui faisait vivre tant de sensations et de sentiments contradictoires...

Mais c'était impensable! Alex avait toujours eu son métier à cœur, enseignant par conviction de faire quelque chose de valable.

David l'a abordée à la cafétéria à l'heure de la pause.

— Ça va? T'as pas l'air dans ton assiette, ces jours-ci...

— Oui ça va, ça va. Je suis juste un peu fatiguée.

— Trop de travail?

— Oh non! Je suis distraite et je n'arrive pas à me concentrer ni à bien dormir... rien de grave.

— Tu n'es pas malade, au moins?

David semblait inquiet.

— Mais non... J'ai la tête ailleurs, c'est tout.

Il s'est tu un instant, l'air songeur. Puis, il lui a adressé un petit sourire coquin:

— Oh! oh! Y aurait-il un homme derrière tout cela?

— Qu'est-ce qui te fait dire ça?

Sa réplique avait été prononcée sur un ton qu'elle savait définitivement trop acerbe, et elle s'est sentie rougir bien malgré elle.

— Ce n'est pas parce que je suis distraite que j'ai un homme en tête! Qu'est-ce qui te prend? Vous êtes tous pareils! Ça ne peut être qu'à cause de vous si une femme a la tête ailleurs!

— Oh! oh! du calme! Pas de problème... je te laisse tranquille! Quand tu te calmeras, on se reparlera. Allez, salut!

— David, attends!

Mais il était déjà parti rejoindre un groupe qu'Alex n'avait pas envie d'affronter maintenant. Elle s'est donc résolue à aller lui présenter ses excuses plus tard.

Elle l'a trouvé à son bureau après les cours. Après être entrée discrètement dans son antre, elle lui a dit tout doucement:

— Je m'excuse, je me suis énervée...

— Ça va, c'est pardonné. Tu veux aller prendre un café? Je n'ai pas de classe avant une heure.

— D'accord, je te suis.

Elle n'avait aucunement l'intention de lui parler de ses penchants sordides. D'ailleurs, elle en étouffait de honte. Était-elle en train d'emboîter le pas à certains de ses collègues, qui se laissaient entraîner dans des aventures risquées et qu'elle traitait intérieurement de purs idiots? Mais voilà! David la connaissait mieux que quiconque. Il avait tout de suite su que si elle s'était tant énervée, ce midi-là, c'est qu'il avait vu juste. Il brûlait maintenant de curiosité. Alex s'est lancée à l'eau et lui a raconté toute l'histoire. La fin de son récit a précédé un lourd silence. Elle n'osait pas regarder David en face, craignant son jugement, sa condamnation. Après ce qui lui a paru une éternité, il lui a soulevé le menton et lui a demandé, un sourire mystérieux accroché aux lèvres:

— Et qu'as-tu l'intention de faire?

— Mais rien! Rien du tout! J'ai deux fois son âge... c'est impensable! Tu t'imagines ce qu'on dirait de moi?

— Oh! On dirait sûrement que tu te paies du bon temps et que tu te fous éperdument de ce que les gens pourraient dire...

Si tu veux mon avis, il me semble que ce serait conforme à l'Alex que j'ai toujours connue. Et si ça te fatigue à ce point, tu n'as qu'à être discrète...

— Tu es malade ou quoi! Je pourrais être sa mère! Et puis ça donnerait quoi, en bout de ligne? Il va éventuellement rencontrer quelqu'un de son âge et me plaquer. Tout ce casse-tête pour rien...

— Et qu'est-ce qui te fait croire qu'il ne pourrait pas désirer, une fois conquis par ton charme et ton intelligence suprême, une relation solide?

— Mais tu rêves! Le pire, dans toute cette histoire, c'est que je sens qu'il va m'obséder tant que je n'en aurai pas le cœur net...

— Ben, alors, vas-y! Qu'est-ce que tu as à perdre?

— Ma réputation, peut-être?

— Laquelle? Celle de passer toutes tes nuits seule, à rêver à un jeune corps pour te tenir chaud?

Alex a eu, à ce moment précis, une envie terrible de frapper son ami. Elle s'est demandé d'ailleurs par la suite à de nombreuses reprises, ce qui avait bien pu la retenir. Son petit sourire idiot, probablement. Mais ce jour-là, elle a soudain réalisé qu'il n'avait peut-être pas tort. Qu'avait-elle à perdre, au fond?

Le lendemain, elle a fait de nombreux efforts pour ne pas fuir le regard de Sébastien et lui adresser des sourires plus engageants. Elle utiliserait cette tactique un certain temps, pour voir s'il réagirait. C'était une chose d'envisager une aventure avec un gamin, mais de là à la provoquer...

Le manège a continué de la sorte pendant près de deux autres semaines, et elle avait fait des progrès certains. Sébastien s'arrêtait maintenant pour lui parler chaque fois que son cours se terminait. De tout et de rien, de la matière qu'elle venait de couvrir, bien sûr, mais aussi de quelques détails de sa vie personnelle. Assez, en tout cas, pour qu'elle sache qu'il adorait Al Pacino, qu'il était nageur professionnel — de là, ce corps magnifique —, mais qu'il avait dû interrompre son entraînement un an auparavant à cause d'une blessure sérieuse à la jambe.

Tout compte fait, elle progressait. À pas de tortue, oui, mais elle avançait. Tout ceci la rendait encore plus distraite, et ses rêves prenaient des allures vraiment perverses. Elle rêvait qu'il l'attendait à la maison chaque jour, ne portant qu'un ample short de soie, étendu lascivement dans son lit. Et tout ce qui s'ensuivait... Les caresses se succédaient, toutes plus osées les unes que les autres, jusqu'à ce qu'il la prenne dans des positions dignes d'un acrobate de talent. Dans chacun de ses rêves, Sébastien la propulsait dans des voluptés incroyables, la faisant pirouetter sur son membre disproportionné comme si elle était une ballerine, lui faisant subir orgasme sur orgasme. Elle se réveillait toujours moite de sueur. Le plus troublant, c'était que ces rêves n'arrivaient plus seulement pendant son sommeil. En plein cours, Alex profitait de la rare concentration de ses étudiants sur un problème pour imaginer une nouvelle position athlétique à laquelle la soumettrait le corps divin de son jeune amant. À la maison, le soir, elle se masturbait lentement, prenant le temps de bien se l'imaginer. Dans ce rêve éveillé, il la regardait se caresser, timidement et un peu à l'écart, puis constatant son excitation croissante, il venait finalement la rejoindre...

Un après-midi, après un sandwich avalé en vitesse avec David, elle a choisi d'aller lire les travaux de ses étudiants à l'extérieur pour profiter de cette superbe journée d'automne... et aussi pour rester visible des étudiants, au cas où... Elle a pris place sur un banc, au soleil, mais n'a pu se résoudre à lire quoi que ce soit. Elle a plutôt fermé les yeux et s'est perdue dans ses divagations. Le vent frais qui lui ébouriffait les cheveux est tout à coup devenu celui d'une plage de Nouvelle-Angleterre, le long de laquelle Sébastien et elle marchaient, main dans la main. Ils étaient seuls sur cette grève d'automne, regardant les nuages gris assombrir l'océan. Après quelques baisers gourmands, il l'entraînait vers une des grandes maisons victoriennes disséminées le long du rivage. Une maison magnifique, toute rose et bleue. Ils y faisaient l'amour dans une petite chambre à lucarne, sur un grand lit en cuivre aux draps brodés, au rythme des grosses gouttes de pluie qui s'écrasaient sur le toit au-dessus d'eux… Il la caressait, la soulevait comme si elle avait la légèreté d'une plume, la pénétrait lentement en la fixant de son intense regard vert, puis accélérait sa cadence pour atteindre un rythme infernal, déplaçant le lit massif jusqu'au milieu de la chambre…

— Bonjour !

Alex a sursauté comme si une mouche l'avait piquée. L'adrénaline s'est emparée de son corps et de ses nerfs, accélérant dangereusement le rythme de son cœur pendant quelques secondes. Devant elle, se tenait l'objet de ses fantasmes, plus resplendissant que jamais. Elle a maladroitement balbutié :

— Bon… bonjour !

— Je peux m'asseoir ?

— Oui, bien sûr… Pas de cours aujourd'hui ?

— Non, pas avant demain après-midi.

— Il fait si beau…

— Tu fais du vélo ? a-t-il demandé comme sur le coup d'une soudaine inspiration.

— Oui, de temps en temps. Pourquoi ?

— Je sais qu'il te reste un cours à donner. Euh ! je veux dire… Et il a rougi à nouveau de façon adorable… Il a quand même poursuivi.

— Si tu le veux, plus tard, on pourrait se rejoindre quelque part et aller faire une promenade près de la rivière. Enfin, c'est juste une idée… J'y allais de toute façon, mais si tu as envie de m'accompagner, je veux dire… ça serait plus agréable, enfin…

Alex a constaté avec plaisir qu'il s'était renseigné sur son horaire...

— Quelle bonne idée ! Mais je ne suis pas aussi en forme que toi, tu sais. Si tu promets de m'attendre...

— Je n'ai pas l'intention de faire une course, ne t'en fais pas.

C'était aussi simple que ça... Ce qu'elle attendait depuis des semaines et qu'elle croyait impossible venait de se produire de façon presque banale. Une simple invitation, un simple accord. Ils se sont rencontrés à seize heures, au pont qui menait à la petite île inhabitée au milieu de la rivière. La piste sinuait sur le pourtour de l'île, offrant un parcours cyclable d'environ une vingtaine de kilomètres. C'était un endroit charmant et presque désert en cette fin d'après-midi. L'île était ornée de petites collines boisées dont quelques arbres avaient déjà pris de chaudes teintes orangées. Ils pédalaient côte à côte, assez lentement pour pouvoir parler de tout et de rien, quand ils ont débouché sur le parc marquant le milieu du parcours. Ce joli parc longeait la rivière et invitait à la détente. En descendant de vélo, Sébastien semblait un peu nerveux. Il avait visiblement quelque chose de gênant à dire ou à demander.

— Alex, j'ai quelque chose à te demander, a-t-il fini par dire. Je ne sais pas trop comment m'y prendre et je ne veux pas que tu le prennes mal. Voilà... Est-ce que tu as l'habitude d'aller, comme ça, te promener à vélo avec l'un de tes étudiants ?

Il la regardait du coin de l'œil, le souffle court.

— En fait, Sébastien, c'est la première fois. Pourquoi me demandes-tu cela ?

Alex était aussi nerveuse que lui, sinon plus, mais elle ne voulait rien laisser paraître...

— Parce que Alex, eh bien... j'ai comme un problème. Je ne connais rien de toi ni de ta vie personnelle, mais...

Il se tordait les mains en fixant la rivière.

— Depuis le début des cours, je me pose de drôles de questions. C'est probablement mon imagination, mais il me semble que... du moins j'espère que... ah!

Il a pris une longue inspiration.

— Bon! Voilà! J'aimerais bien te connaître... mieux, disons. Je te trouve magnifique, très intelligente et depuis le premier jour, je pense à toi... Ah! Tu dois sans doute me prendre pour un idiot. Tu me considères probablement comme un adolescent, un étudiant parmi tant d'autres... Je... euh...

Elle ne pouvait pas le laisser souffrir plus longtemps. Elle a fixé ses yeux incroyables en lui disant:

— Sébastien, écoute-moi. Tu n'es pas un étudiant sans importance pour moi. Pas du tout, même... Je dois t'avouer que moi aussi, je pense à toi depuis le premier jour... et sûrement pas comme je le devrais.

— C'est bien ce que je pensais... Tu dis «pas comme je le devrais». Ça va, tu n'as pas besoin d'en dire davantage. Je m'excuse, je ne voulais pas te rendre mal à l'aise. C'était stupide de ma part de penser que tu pouvais t'intéresser à moi...

— Tu n'y es pas du tout! C'est parce que je m'intéresse à toi que je dis ça. Et c'est plutôt à moi de penser qu'il serait ridicule qu'un gars comme toi, avec ton physique et ton intelligence, puisse s'intéresser à une personne qui a deux fois son âge. Je suis certaine qu'il y a peu de filles à l'université qui te refuseraient quoi que ce soit!

Sébastien l'a fait taire en pressant sa bouche sur la sienne d'un geste si rapide qu'elle n'a rien vu venir. Elle était réticente et essayait tant bien que mal de se défendre d'une situation qui la troublait encore, de sentiments qui la tiraillaient intérieurement. Mais l'insistance du baiser du jeune homme et le plaisir qu'il lui procurait lui ont enlevé toute envie de résister. Elle s'est laissée aller à le savourer, devenant bientôt aussi exigeante que lui. Elle se sentait comme une adolescente lors de son premier rendez-vous secret, c'est-à-dire soumise à des réactions insoupçonnées. Sébastien la serrait dans ses bras puissants, lui broyant le dos et les épaules sous de rudes caresses. La longue abstinence qu'elle avait vécue l'a soudain faite sortir de sa torpeur. Alex était haletante, passionnée, déchaînée. Elle voulait mordre cette bouche à laquelle elle rêvait depuis si longtemps, conquérir ce jeune corps vigoureux et enrouler autour de ses doigts ses boucles dorées. En un instant, ses seins se sont gonflés et ses cuisses se sont mises à brûler, tandis que son ventre palpitait de désir. Elle avait presque oublié qui était cet homme qu'elle voulait déshabiller en un éclair, qu'elle désirait chevaucher comme une démone...

Elle a ouvert les yeux une fraction de seconde et a vu un couple âgé se diriger vers un autre banc trop près du leur. Elle s'est dégagée de Sébastien comme une gamine prise en défaut et s'est prestement levée pour aller s'appuyer contre la balustrade au bord de l'eau. Sébastien est venu la rejoindre. Il n'osait pas s'avancer trop près ni la dévisager. Alex se contentait de regarder la rivière couler...

— Je suis désolé... C'était plus fort que moi, a-t-il dit, un peu mal à l'aise.

— Désolé? Pas moi... Écoute, Sébastien, je ne me suis pas trop défendue... J'avais envie de ça depuis un mois déjà. Mais je suis confuse, j'ai la tête à l'envers. Qu'est-ce que tu veux de moi? Qu'est-ce que tu attends? Une aventure d'un soir? Je ne vois que cela... Et moi, je ne sais pas ce que je désire. Je désire tout, mais j'ai peur... J'ai peur que tu rencontres une jolie étudiante de ton âge et que tu m'envoies prendre l'air. J'ai peur d'avoir l'air ridicule. J'ai peur, mais j'ai aussi tellement envie...

— Tu te poses trop de questions. On en a envie tous les deux, non? Et les filles de mon âge, après une semaine, j'en ai fait le tour. J'ai besoin de plus. J'ai besoin d'une femme, une vraie, qui peut être plus qu'une partenaire au lit. Une femme avec qui je peux parler de tout et de rien et qui me parlera aussi. Et pas juste d'acteurs de cinéma, de chanteurs rock ou de mode... Je te veux, toi. Ce qui se passera dans deux mois, deux ans ou vingt ans, personne ne le sait. Mais qu'est-ce qu'on a à perdre?

Alex ne savait plus que faire. Il lui semblait avoir entendu cette phrase au moins cent fois depuis un mois. Puis, ses derniers scrupules ont fondu. Elle a plongé son regard dans celui du jeune homme et déposé un baiser sur ses lèvres chaudes. Sans un mot, le couple est retourné aux vélos et s'est dirigé vers la ville. Sébastien a approché sa bicyclette de celle d'Alex pour lui tenir la main.

— Tu me suis?

— Je te suis.

Il habitait un loft dans la vieille partie de la ville. L'immense pièce baignait dans les rayons du soleil couchant qui pénétraient abondamment par les grandes fenêtres qui la bordaient. Sébastien a refermé la porte derrière elle, l'a prise dans ses bras et l'a embrassée, continuant ce qu'ils avaient dû interrompre dans le parc. Il a saisi ses hanches et l'a soulevée à sa hauteur, retenant son corps d'un bras, alors que l'autre défaisait un à un les boutons de sa blouse. Alex se sentait minuscule... Il semblait la retenir sans aucune peine. Tous ses rêves et fantasmes passés resurgissaient en un éclair... Elle ne pouvait se rassasier de ses larges épaules, laissant ses petites mains parcourir le chemin des muscles saillants et se perdre dans les boucles soyeuses de son nouvel amant. Il l'a emmenée jusqu'à un immense matelas posé à même le sol, et s'y est agenouillé. Puis, tout en la maintenant toujours fermement, il l'a déposée lentement, délicatement dessus.

Il la regardait intensément de ses yeux brillants et, en approchant davantage son visage, il lui a demandé :

— Ça va? Tu ne changes pas d'idée?

— Si tu arrêtes maintenant, je te fais échouer le cours, je te préviens...

Sébastien s'est alors relevé sur un coude, le regard abîmé dans celui d'Alex. Elle frémissait, sentant son ventre se déchirer de désir. Tout ce temps sans cette sensation! Elle s'interdisait de penser aux conséquences de son geste, choisissant avec le peu de conscience qui lui restait de s'accorder ce plaisir, si bref fût-il. Elle l'a imploré de se déshabiller devant elle. Il a rougi furieusement, mais il s'est levé et a retiré lentement son chandail, lui permettant ainsi d'admirer son torse ferme et souple, de même que son ventre plat, dont les muscles étaient dessinés à la perfection. Il avait un bronzage sain, de la superbe teinte dorée de quelqu'un qui passe sa vie à l'extérieur. Il s'est retourné un instant, et Alex s'est attendrie sur le V que formait son dos en descendant vers sa fine taille. Dieu qu'il était beau! Elle n'avait jamais vu un corps pareil, sauf au musée... Il a retiré son pantalon pour révéler deux adorables petites fesses toutes rondes, fermes et pâles. Son érection aussi était impressionnante... Pas aussi excessive que dans les rêves débridés d'Alex, mais très respectable. Elle l'a attiré vers le lit, et il lui a demandé de se lever à son tour pour lui offrir le même spectacle.

— Je n'ai plus vingt ans... Viens près de moi.

Il n'a pas insisté et est venu la rejoindre. Il a retiré lentement sa blouse, a défait son pantalon, qu'il a fait glisser le long de ses cuisses, toujours très lentement, embrassant chaque coin de sa peau à mesure qu'elle se découvrait. Quand elle a enfin été nue, il l'a regardée de la tête aux pieds.

— Tu es si belle! Plus belle que je l'imaginais, même...

Et il s'est remis à l'embrasser, laissant son corps massif recouvrir celui plus frêle d'Alex. Elle était impatiente... Elle voulait le sentir en elle, être enfin libérée de tant de solitude. Mais il a choisi de la faire patienter. Pour ce faire, il a de nouveau glissé ses mains sous elle et l'a soulevée, tout en laissant ses épaules sur le lit. Il lui a ensuite écarté les jambes et a embrassé ses cuisses, glissant sa langue vers son sexe affamé, qu'il a effleuré. Il a ensuite déposé Alex sur sa jambe repliée et lui a saisi la taille, ses larges mains la massant, se glissant jusqu'à ses épaules et la soulevant pour lui embrasser les yeux, le visage et le cou. Elle l'a alors supplié de lui faire l'amour…

Mais il avait une autre idée en tête. Il l'a reposée sur le lit et s'est levé. Sans laisser à Alex le temps de lui demander où il allait, il s'est dirigé vers un tiroir et en a sorti un flacon, qu'il a rapporté. Il s'est ensuite agenouillé entre les jambes offertes de sa maîtresse et lui a demandé de fermer les yeux. La chaleur du soleil réchauffait la peau frissonnante d'Alex, jusqu'à ce qu'un liquide onctueux se mette à couler entre ses seins et le long de son ventre. Sébastien a imprégné quelques-uns de ses doigts de cette huile odorante, effleurant le bout et le contour des seins, les épaules, les bras et les aisselles d'Alex. Il en a répandu un peu plus sur son ventre et sur ses hanches, lui procurant de petits frissons de plaisir avant de poursuivre plus bas, jusqu'à ses lèvres maintenant béantes. Elle a sursauté au contact des doigts de Sébastien qui traçaient les contours de son sexe, et elle a senti l'huile se mêler à la manifestation flagrante de sa propre excitation en dégageant une douce chaleur. Il s'est alors étendu sur elle, frottant sa peau contre la sienne, s'oignant à son tour. Comme il glissait sur son corps, elle en a profité pour enduire son dos superbe d'huile. Il a ensuite repris le flacon et a remonté le bassin de la professeure plus près de lui. Ses mains sont descendues vers l'intérieur des cuisses féminines offertes et doucement, si doucement, un doigt s'est glissé en elle, tandis que sa langue dégustait ce mélange onctueux qui s'écoulait d'elle. Elle a ressenti un véritable choc électrique lorsque les lèvres de

Sébastien se sont enfin posées sur elle. Il semblait déterminé à la faire languir, la chatouillant de sa langue, ses mains flottant toujours sur son corps huilé. Il était attentionné, goûtant chaque parcelle de son sexe comme s'il s'agissait d'un fruit tendre et savoureux, l'imbibant davantage de sa chaude salive. Quand il a finalement senti qu'elle était prête à le recevoir, il l'a soulevée complètement du lit et l'a appuyée contre l'un des murs. Sans effort apparent, il l'a haussée encore un peu et l'a délicatement déposée sur le bout de son membre tendu. Puis il l'a fait descendre tout doucement dessus, millimètre par millimètre.

Alex ne pouvait se lasser de lui... De sa bouche, du goût de sa peau, de ses épaules si robustes, de ses bras infatigables qui la guidaient sur lui et la rendaient folle de désir. Après une attente vertigineuse, elle l'a enfin senti complètement immergé en elle. Il est resté immobile, se contentant de la regarder sans un mot. Il lui a souri et l'a embrassée. Puis il s'est mis à la soulever et à l'abaisser à un rythme langoureux, alors qu'elle lui enserrait fermement la taille de ses jambes et qu'elle s'agrippait à son corps, laissant ses mamelons huilés s'écraser contre le torse du jeune Apollon. Le corps d'Alex flottait sur lui comme s'il avait perdu toute substance, immergé dans un nuage doux et chaud. Puis, il a graduellement accéléré sa cadence, jusqu'à ce que tous deux explosent en un orgasme indescriptible.

Tous les soirs suivants, pendant près de trois semaines, ils se rencontraient chez lui ou chez elle et c'était chaque fois toujours plus extraordinaire. Ils passaient des nuits entières à faire l'amour de façon exquise, passionnée, en explorant de nouvelles caresses et positions.

Alex a commencé à se douter que quelque chose n'allait pas quand il s'est mis à arriver en retard à leurs rendez-vous. Ses excuses étaient toujours plausibles, mais ses yeux le trahissaient. Il a ensuite espacé leurs rencontres. Elle a alors été convaincue que ce qu'elle redoutait depuis le début (et qui l'avait tant fait hésiter) était en train de se produire. Il allait, lui aussi, la laisser tomber pour une fille plus jeune, plus sexy, plus fraîche qu'elle. Alors, un soir, elle a fini par le confronter. Ils faisaient l'amour depuis un bon moment, mais elle réalisait bien qu'il avait la tête ailleurs. Elle lui a alors demandé fermement, le cœur prêt à flancher, s'il avait rencontré une étudiante de son âge qui l'intéressait. Il lui a répondu, agacé :

— Mais non ! Pas du tout ! Qu'est-ce que tu veux que je fasse d'une jeune écervelée ? Arrête. Je t'ai déjà dit que ça ne m'intéressait pas !

Alex a essayé de rationaliser. Avait-elle dit ou fait quelque chose de mal ? Peut-être désirait-il seulement davantage de moments de solitude ? Mais un soir qu'ils devaient aller au cinéma, comme elle n'avait pas réussi à lui parler depuis quelques jours, elle s'est mise en colère. Elle était persuadée avoir deviné ce qui n'allait pas. Il n'osait pas le lui dire, sachant qu'elle avait déjà vécu la même chose avec le seul autre homme qui ait eu de l'importance dans sa vie. Faussement sûre d'elle, elle a décidé d'aller au cinéma sans lui et quand il aurait enfin le courage de lui avouer qu'il avait une liaison avec une autre, au moins, cette fois-ci, elle serait préparée. En marchant d'un pas assuré, elle songeait qu'il serait bon pour elle de pouvoir enfin lancer, avant que quelqu'un d'autre ne le fasse à sa place : « Je te l'avais bien dit ! »

La nuit était fraîche et Alex n'a mis que quelques minutes à franchir les quelques pâtés de maison qui séparaient sa demeure de la salle de cinéma. Il n'y avait pas foule, et elle est entrée rapidement se choisir une place, y a déposé sa veste et est partie se chercher une boisson gazeuse. C'est là qu'elle l'a vu. Il était plus en avant et lui tournait le dos, sa nouvelle conquête à ses côtés. Cette dernière n'était pas plus grande qu'elle... Même si Alex ne pouvait discerner son visage, elle était persuadée qu'elle n'avait pas plus de dix-huit ou dix-neuf ans. Bouleversée de voir ses craintes confirmées, elle éprouvait en même temps une immense déception. Elle n'a pu se retenir de prononcer en son for intérieur cette phrase que toute femme dit au moins une fois dans sa vie, pour tenter vainement de surmonter son chagrin: «Il aurait pu mieux choisir, quand même!» Et elle le pensait vraiment... Il aurait pu choisir n'importe qui parmi les étudiantes grandes, minces et jolies. Mais celle-ci était plutôt petite. Enfin, pas plus grande qu'elle et pas des plus minces non plus... Elle portait un jean qui ne l'avantageait pas et quand Sébastien l'a attirée vers lui pour l'embrasser et lui mordiller le cou, Alex a pu voir qu'elle devait, elle aussi, se tenir sur la pointe de ses petits pieds ridicules pour l'atteindre. Mais ce n'était pas le pire...

Quand ils se sont retournés pour entrer dans la salle, la femme bafouée qu'elle était devenue a reçu une gifle en plein visage. Un coup de poing dans le ventre. Le temps qu'elle avait passé avec lui avait été fantastique. Et elle savait, dès le début, que cette aventure était passagère. Même la jalousie cuisante qu'elle ressentait en ce moment était prévue depuis un bon moment. Ce n'était qu'une question de temps... Mais ce qui lui a coupé le souffle et l'a anéantie, c'était que celle qui accompagnait Sébastien, elle la connaissait. Et ce n'était pas une jeune et jolie étudiante pendue amoureusement à son bras...

Cette fille n'était pas une amie, loin de là... Elle n'était non seulement pas reine de beauté ni mannequin, mais qui plus est, c'était bien la dernière personne qu'Alex s'attendait à voir avec son jeune Apollon. Elle qui se targuait de n'avoir besoin de personne... Elle qui criait à qui voulait l'entendre qu'elle ne croyait plus aux aventures passagères...

Et voilà qu'elle se donnait en spectacle! Elle l'avait remplacée auprès de Sébastien, cet homme qui lui avait tant appris. Elle n'était pas plus jolie ou attirante que la dernière fois qu'Alex l'avait vue. C'était environ à la même période, l'an dernier. Elle les avait invités, David et elle, ainsi que quelques collègues, à célébrer son anniversaire... son quarante-neuvième anniversaire.

## Dans la même collection

.........

*Un été chaud et humide,* Élise Bourque
roman érotique, 2010

*Fille de soie,* Élise Bourque, roman érotique
(format régulier 2007 ; format poche 2010)

*L'agenda de Bianca,* Élise Bourque, roman érotique
(format régulier 2005 ; format poche 2010)

*Coups de cœur à faire rougir,* Marie Gray, 2006

*Rougir un peu, beaucoup, passionnément* (t. 5), Marie Gray
(format régulier 2003 ; format poche 2006)

*Rougir de plus belle* (t. 4), Marie Gray
(format régulier 2001 ; format poche 2004)

*Histoires à faire rougir davantage* (t. 3), Marie Gray
(format régulier 1998 ; format poche 2002)

*Nouvelles histoires à faire rougir* (t. 2), Marie Gray
(format régulier 1996 ; format poche 2001)

*Histoires à faire rougir* (t. 1), Marie Gray
(format régulier 1994 ; format poche 2000)

*Stories to Make You Blush volume 3,* Marie Gray, 2004

*More Stories to Make You Blush,* Marie Gray, 2001

*Stories to Make You Blush,* Marie Gray, 2000

*Libertine,* Jean de Trezville, roman érotique
(format régulier 2004 ; format poche 2006)

*Une collection privée,* Jean de Trezville, roman érotique, 2007

*Chère coupable,* Missaès
roman érotique (format régulier 2002 ; format poche 2006)